100 RECETTES
pour un corps sain

100 RECETTES
pour un corps sain

AMÉLIOREZ VOTRE SANTÉ ET VOTRE APPARENCE
TOUT EN VOUS RÉGALANT

HAZEL COURTENEY et KATHRYN MARSDEN

Recettes créées par ANNE SHEASBY

TRADUIT DE L'ANGLAIS PAR ÉLISA-LINE MONTIGNY

Guy Saint-Jean
ÉDITEUR

Catalogage avant publication de Bibliothèque
et Archives Canada

Courteney, Hazel
100 recettes pour un corps sain
Traduction de : *Body & beauty foods*.
Comprend un index.
ISBN 978-2-89455-229-2
1. Alimentation. 2. Santé. 3. Longévité – Aspect
nutritionnel. 4. Beauté corporelle. 5. Cuisine (Aliments
naturels).
I. Marsden, Kathryn. II. Titre. III. Titre: Cent recettes pour
un corps sain.
RA784.C6814 2007   613.2   C2006-941797-0

Nous reconnaissons l'aide financière du gouvernement
du Canada par l'entremise du Programme d'Aide au
Développement de l'Industrie de l'Édition (PADIÉ) ainsi que celle
de la SODEC pour nos activités d'édition. Nous remercions le
Conseil des Arts du Canada de l'aide accordée à notre programme de publication.

Copyright : The Ivy Press Limited 1998
Publié originalement en Grande-Bretagne par The Ivy Press
Limited, 2/3 St Andrews Place, Lewes, East Sussex BN7 1UP
Direction artistique : Peter Bridgewater
Direction éditoriale : Sophie Collins
Direction de la rédaction : Anne Townley
Édition : Viv Croot
Conception graphique : Clare Barber
Gestion du projet : Caroline Earle
Révision : Molly Perham
Photographie : Marie-Louise Avery

© Pour l'édition en langue française Guy Saint-Jean Éditeur
inc. 2006
Traduction : Élisa-Line Montigny
Révision : Jeanne Lacroix
Infographie : Christiane Séguin

Dépôt légal 1er trimestre 2007
Bibliothèque et Archives nationales du Québec et
Bibliothèque et Archives Canada
ISBN : 978-2-89455-229-2

Distribution et diffusion
Amérique : Prologue
France : Volumen
Belgique : La Caravelle S.A.
Suisse : Transat S.A.

Guy Saint-Jean Éditeur inc.,
3154, boul. Industriel, Laval (Québec) Canada. H7L 4P7.
(450) 663-1777. Courriel : saint-jean.editeur@qc.aira.com
Web : www.saint-jeanediteur.com

Guy Saint-Jean Éditeur France,
48 rue des Ponts, 78290 Croissy-sur-Seine, France.
01.39.76.99.43. Courriel : gsj.editeur@free.fr

Imprimé en Chine

*Que votre alimentation
soit votre médecine
et que la médecine
vous alimente.*

HIPPOCRATE, VERS 469-399 AV. J.-C.

avant-propos

Nous sommes le reflet de ce que nous mangeons. Or, bon nombre de personnes ne savent pas qu'une bonne alimentation peut complètement modifier notre apparence et notre santé. Cet ouvrage explique clairement quels aliments sont les plus bénéfiques et dans quel but ils doivent être consommés. Il identifie les aliments qui donnent une belle peau, de beaux cheveux, ongles et yeux, ceux qui favorisent la fonction immunitaire, contribuent à avoir des dents et des os solides, et ceux qui aident à avoir des articulations souples et un cœur plus sain.

Notre alimentation et notre mode de vie ont changé davantage ces cinquante dernières années que lors des 2 000 années prédécentes. Le stress, la pollution, les pesticides, l'usage abusif d'antibiotiques et de médicaments sous ordonnance, sans compter l'énorme quantité de repas-minutes que nous consommons contribuent à plusieurs problèmes de santé. Aujourd'hui, on reconnaît le rôle de l'alimentation dans les conditions chroniques tels l'arthrite, l'eczéma, les calculs biliaires, l'hypertension, le cancer et les maladies du cœur.

Bon nombre des aliments que nous consommons sont hyper raffinés, préemballés et contiennent des quantités excessives de sel, de sucre et d'additifs chimiques. Bien des gens songent à adopter une meilleure alimentation, sans pourtant le faire concrètement; avec le temps, le corps développe des carences nutritives, est surchargé de toxines et devient malade. 100 recettes pour un corps sain aide à rétablir l'équilibre vers une meilleure santé. Le corps a la capacité de se guérir lorsqu'on lui fournit les bons outils pour le faire. Les aliments utilisés de façon judicieuse et équilibrée constituent de puissants médicaments. Nous sommes tous libres de choisir quoi nous mettre sous la dent; si vous voulez améliorer votre santé et la conserver, vous devez faire les bons choix. Le fait que vous soyez en train de lire ce phrase indique que vous avez déjà fait un grand pas dans la bonne direction.

HAZEL COURTENEY

sommaire

aliments beauté
104

introduction

Visez à consommer au moins cinq portions de fruits et de légumes chaque jour pour une alimentation optimale.

Une alimentation saine est tout simplement une question de variété et d'équilibre. Pour cet ouvrage, Kathryn et moi avons choisi plusieurs aliments nutritifs pour vous aider à rééquilibrer votre régime alimentaire en faisant appel à des aliments « guérisseurs » plutôt qu'à des aliments « nuisibles ». N'ayez crainte : vous pourrez quand même vous offrir vos gâteries préférées parce qu'il n'y a pas de mal à se faire plaisir de temps à autre. Or, il faut s'en tenir à de petites portions. Lorsque vous vous offrez une gourmandise, savourez-la pleinement et évitez de vous culpabiliser. Maintenez un équilibre dans toute chose et consommez avec modération les repas et les gâteries raffinés qui regorgent de sucre et de gras. Il est parfois difficile de résister à essayer la dernière barre-collation, les repas préemballés et les boissons à la mode. Or, ces produits ne comportent pas nécessairement une bonne valeur nutritive et, lorsqu'ils sont consommés en excès, ils remplacent des aliments santé de votre régime alimentaire. Il s'ensuit souvent un appauvrissement des éléments nutritifs essentiels à votre corps.

Bien des gens ne savent pas à quel point l'alimentation peut contribuer à leur santé. Je leur explique que c'est souvent l'effet cumulatif qui entraîne des problèmes de santé. Il est rare que ce soit notre dernier repas qui nous ait rendu malade… ce sont plutôt les mille derniers. Les gens qui souffrent d'allergies sont douloureusement conscients de l'incidence des mauvais aliments sur la santé. Rappelons-nous que le bon aliment agit comme un médicament et qu'une alimentation équilibrée et variée est l'une des solutions les plus simples pour une meilleure santé.

Le corps humain a besoin de plusieurs éléments dont des vitamines, des minéraux, des acides aminés, ainsi que d'air, d'eau et de lumière. Notre corps ne peut fabriquer ces éléments: il doit donc se les procurer de l'extérieur. Pour obtenir les nutriments essentiels, nous devons consommer des quantités suffisantes d'aliments entiers, frais, sains et de qualité supérieure. Parce que bien des fruits et des légumes proviennent de contrées lointaines et que, une fois cueillis, ils peuvent perdre jusqu'à 50 % de leur apport vitaminique en seulement 10 jours, nous vous recommandons de consommer des produits locaux, en saison, et préférablement biologiques. Notre santé dépend des aliments que nous mangeons, mais aussi de la capacité de notre corps d'absorber les nutriments par l'estomac. Bon nombre de gens dans la quarantaine ont des problèmes digestifs souvent causés par le stress et la malbouffe. Vous pouvez améliorer l'absorption de vos aliments en les mâchant plus longtemps et en mangeant un peu d'ananas ou de papaye frais, qui contiennent des enzymes digestives, au moment du repas principal. Ou procurez-vous des enzymes en comprimés vendus dans les bons magasins d'aliments naturels.

Parce que les vitamines, les minéraux et les gras essentiels de nos aliments travaillent en synergie à l'intérieur du corps, vous obtiendrez davantage de bienfaits à consommer une variété d'aliments entiers plutôt que d'avaler des vitamines à part. Un sandwich de germes de luzerne, par exemple, contient plus de nutriments qu'une multivitamine bon marché. Notre corps est composé d'environ 63 % d'eau, 22 % de protéines, 13 % de gras et 2 % de vitamines et de minéraux. Pour une santé optimale, nous devons consommer des aliments de tous les groupes alimentaires, de façon équilibrée: glucides, protéines et gras.

En fait d'apport énergétique, le corps préfère les glucides entiers qui relâchent leur sucre naturel plus lentement que les aliments raffinés comme les gâteaux et les biscuits du commerce. Pour une santé optimale, 60 à 70 % de votre alimentation doit être composé de glucides non raffinés à teneur élevée en fibres qui procurent de l'énergie et encouragent l'élimination des toxines. Il s'agit d'aliments santé/beauté à grains entiers comme le riz brun, le millet, le seigle, les céréales, le pain et les pâtes alimentaires de blé entier (complet) non raffiné, et d'aliments complets comme les légumes et les fruits. Le sucre est un glucide, mais une fois passé la bouffée d'énergie initiale, il peut vous vider de votre énergie. Nous vous suggérons quelques solutions de rechange santé, mais elles contiennent tout de même du sucre et devraient être consommées avec modération. Fait à noter: les aliments dont vous avez le plus envie comme les gras saturés, le sucre et l'alcool sont souvent responsables de nombreux problèmes de santé. Aussi, bon nombre d'aliments étiquetés «faibles en gras» contiennent beaucoup de sucre qui, à son tour, se transforme en graisse si vous ne le brûlez pas par l'exercice physique. Donc, lisez bien les étiquettes!

Les protéines sont essentielles au tonus et à la croissance des muscles, à la santé de la peau et des ongles, à la réparation des tissus et à la fabrication d'hormones. Votre alimentation quotidienne devrait en contenir jusqu'à 15 à 20 %. Les légumes à base de protéines comme les lentilles, les fèves rouges, le tofu, les haricots blancs, les pois, le maïs, le brocoli, les haricots d'Espagne et les noix (du Brésil, amandes, noix de Grenoble et pacanes) sont préférables aux protéines animales parce qu'ils sont faibles en gras saturés (solides) et riches en fibres. Or, compte tenu de l'importance de l'équilibre et de la variété, si vous n'êtes pas végétarien, vous pouvez aussi manger du poisson, des œufs et du poulet de ferme, et de petites quantités de viande (de préférence biologique).

Bien des gens croient que les régimes faibles en gras ou sans gras sont plus sains. Or, ils se trompent. Nous avons tous besoin d'une certaine quantité de gras dans notre alimentation, mais pas n'importe quel. Il existe deux types de gras: saturé et non saturé. Les gras saturés, les plus nuisibles pour la santé, se trouvent principalement dans les viandes et les produits laitiers. Ils sont liés au durcissement des artères et à la plupart des maladies graves. Les gras non saturés, plus sains, se trouvent dans les noix, les graines et les poissons gras.

Il y en a deux types : les monoinsaturés que l'on trouve dans l'huile d'olive et les avocats, et les polyinsaturés qui se trouvent dans les noix et les graines. Pour une santé optimale, il importe d'absorber suffisamment des gras essentiels. Une carence en gras essentiels peut entraîner une peau sèche, de l'eczéma, du psoriasis, de la rétention d'eau, de l'hyperactivité, des changements d'humeur et nuire à la perte de poids. On les trouve dans les graines de tournesol, de sésame, de citrouille et de lin, et leurs huiles non raffinées, ainsi que dans les poissons gras. Parce que les gras essentiels sont facilement détruits lorsqu'ils sont chauffés et exposés à l'oxygène, rangez vos vinaigrettes au réfrigérateur. Bon nombre d'aliments transformés comme les gâteaux, les tartes, les saucisses, les margarines et les hamburgers contiennent des gras « hydrogénés » ou « trans » qu'on doit éviter autant que possible. Bien que le beurre soit un gras saturé, Kathryn et moi l'utilisons dans nos pâtisseries parce qu'il ne devient pas rance lorsqu'il est chauffé et contient beaucoup de vitamine A. Les gras essentiels ne devraient pas représenter plus de 30 % de votre alimentation quotidienne.

Essayez de consommer cinq types de fruits et légumes chaque jour. Buvez beaucoup d'eau, évitez la surconsommation de sel et faites de l'exercice chaque jour. Si nous suivions tous ces directives, il y aurait une baisse importante de maladies cardiovasculaires, d'hypertension et d'affections dégénératives, même chez les carnivores les plus fervents.

Les légumes frais et les grains entiers regorgent de nutriments qui amélioreront votre apparence et vous permettront de refaire le plein d'énergie.

Votre corps, si vous lui donnez les bons outils, est en mesure de se guérir lui-même. Les parois de votre estomac sont entièrement remplacées en 72 heures ; chaque mois, votre peau se renouvelle, votre corps se fabrique un nouveau squelette et un nouveau foie tous les deux ans. Par le biais de cet ouvrage, nous vous aiderons à découvrir votre propre équilibre par une foule de succulentes recettes.

ce que sont les aliments santé *et* beauté *et* comment ils fonctionnent

Dis-moi ce que tu manges, je te dirai qui tu es ! *Les aliments peuvent nous guérir, nous énergiser et améliorer notre apparence. Les propriétés de certains aliments sont connues depuis fort longtemps et la science moderne l'a révélé au grand jour. La recherche nous a aussi démontré quels autres aliments peuvent améliorer notre santé, notre vitalité et notre apparence. En choisissant attentivement nos repas, nous pouvons donner un coup de pouce à notre corps chaque jour. Tous les aliments listés dans les pages suivantes, ainsi que les délicieuses recettes qui suivent, regorgent de nutriments bénéfiques. Découvrez les meilleurs aliments pour la santé et la beauté qui soient !*

Fruits

abricots

- Flavonoïdes. Les abricots en contiennent. Aident à renforcer les capillaires pour réduire les risques de saignement et d'ecchymoses.
- Bêta-carotène. Bon pour les yeux, les os et les dents ; stimule la fonction immunitaire.
- Vitamine C. Sert à la fabrication de collagène, qui donne à la peau son élasticité, essentielle à la guérison de plaies et protège des infections. Signes fréquents d'une carence : gencives qui saignent, veinures et guérison lente de blessures.

ananas

- Vitamine C. Consommer frais de préférence ; la mise en conserve détruit une partie de la vitamine C. Conseillé à la fin d'un repas pour les enzymes digestifs naturels qu'il contient et qui aident à décomposer les autres aliments. Rincez-vous la bouche et les dents avec de l'eau après consommation ; l'ananas peut nuire à l'émail des dents.

bananes

- Pectine. Les bananes contiennent plus de pectine que les pommes. Elles sont sucrées, rassasiantes, consistantes et faciles à digérer ; excellentes pour l'hyper-acidité gastrique, le reflux acide ou les ulcères ; calme l'estomac après une indigestion. Fibres très douces.
- Magnésium. Travaille en collaboration avec des acides gras essentiels, le calcium et le complexe vitaminique B pour aider le système nerveux et la production de cellules saines.
- Vitamine C, acide folique, vitamine B6, pectine, potassium.

bleuets (myrtilles)

- Antioxydants, essentiels à la santé des yeux, et complexe vitaminique B.
- Vitamine C.

cantaloup et autres melons

- Source importante de caroténoïdes, d'excellents antioxydants (surtout le cantaloup).
- Flavonoïdes.

carambole

- Excellente consommée fraîche, mélangée aux jus de fruits frais, ou comme décoration dans des salades et avec des plats de fromage.
- Très haute teneur en vitamine C.

cassis

- Antioxydants et complexe vitaminique B essentiels à la santé des yeux.
- Flavonoïdes. Souvent dans les aliments qui contiennent de la vitamine C.
- Vitamine C. 125 ml (½ tasse) de cassis fournissent plus de 100 % de la valeur quotidienne recommandée de vitamine C.

cerises

- Bêta-carotène. Essentiel pour les dents et les os.
- Vitamine C.

citron

- Les citrons sont réputés être bons pour la peau. Masser la peau avec du jus de citron et de l'huile d'olive vierge est un vieux remède qui améliore l'état de la peau et réduit l'apparence des rides.
- Flavonoïdes.
- Vitamine C.

figue

- Un « superaliment ». Fraîches, elles sont délicieuses dans les salades de fruits. Sucrées, les figues séchées remplacent avantageusement friandises et chocolat. Excellentes hachées et ajoutées à des céréales ou comme collation avec des noix, des graines ou autres fruits séchés.
- Calcium. Bon pour les os.
- Fibres. Excellente source de fibres nécessaires à la santé intestinale.
- Magnésium.

fraises

- Complexe vitaminique B et antioxydants essentiels à la santé des yeux.
- Bonne source de caroténoïdes qui sont d'excellents antioxydants.
- Vitamine C.

framboises

- Complexe vitaminique B et antioxydants essentiels à la santé des yeux.
- Bonne source de caroténoïdes qui sont d'excellents antioxydants.
- Vitamine C.

fruits séchés

- D'excellentes gâteries pour les amateurs de sucreries. Bien connus pour leurs fibres alimentaires, ils contiennent aussi beaucoup de bêta-carotène et de potassium. Les abricots Hunza sont moins bien connus, mais sont les plus savoureux et les plus nutritifs. Les fruits séchés sont souvent traités au sulfite pour les conserver, ce qui peut être un problème pour les asthmatiques.
- Bore. Oligoélément nécessaire, en petites quantités, mais essentiel pour des dents et des os sains. Il peut aider à prévenir l'ostéoporose et l'arthrite; bon pour les articulations.
- Magnésium. En collaboration avec les acides gras essentiels, le calcium et le complexe vitaminique B, aide à la production de cellules et d'os sains, et au maintien du système nerveux et du cœur.

kiwi

- Une très bonne source de vitamine C, soit, pour le même poids, deux fois plus que les oranges. Un kiwi fournit plus de 100 % de la valeur quotidienne recommandée de vitamine C.
- Calcium et magnésium. Bon pour les os.
- Fibres.
- Petites quantités de fer et de vitamines B.

lime

- Une excellente source de vitamine C. 125 ml (4 oz) de jus de lime en contiennent 30 mg, soit environ la moitié de la quantité quotidienne requise pour un adulte.

mangue

- Bonne source de caroténoïdes qui sont d'excellents antioxydants.
- Vitamine C.
- Vitamine E.
- Niacine.
- Potassium.

mûres

- Calcium et magnésium. Elles en contiennent de bonnes quantités; bonnes pour les os.
- Vitamine C. 250 ml (1 tasse) de mûres fournissent la moitié de la quantité quotidienne recommandée.

nectarines

- Bonne source de caroténoïdes, d'excellents antioxydants.
- Vitamine C. Préparez-vous un superjus de vitamine C en mélangeant des nectarines à des kiwis, quelques gouttes de citron et du miel.

oranges

- Une orange de taille moyenne contient plus de la quantité quotidienne recommandée de vitamine C pour un adulte.
- Acide folique, thiamine, potassium.

pamplemousse

- Les agrumes sont une excellente source de vitamine C et de potassium. Les roses et les rouges contiennent de grandes quantités de bêta-carotène.
- Flavonoïdes. Aident à renforcer les capillaires pour réduire les risques de saignement et d'ecchymoses. Les signes de carence sont semblables à ceux de la vitamine C. La meilleure source : la peau blanche et le zeste du fruit.

papaye

- Contient de la papaïne, un enzyme qui s'apparente à la pepsine, un suc gastrique; conseillé à la fin d'un repas.
- Flavonoïdes.
- Bonne source de caroténoïdes, d'excellents antioxydants.
- Vitamine C.

pêches

- Bonne source de caroténoïdes, d'excellents antioxydants.

pommes

- Elles protègent le cœur; recommandées pour le cholestérol élevé, l'hypoglycémie ou le diabète et combattre la diarrhée. Pour ceux qui surveillent leur poids, une pomme juste avant un repas diminue l'appétit; c'est aussi une excellente collation.
- Fibres. Une pomme moyenne fournit 15 % de la valeur quotidienne recommandée de fibres, dont une partie est soluble et aide à réduire le cholestérol sanguin.
- Pectine. Les pommes sont riches en pectine, une fibre soluble. Deux pommes par jour peuvent contribuer à réduire sensiblement le taux de cholestérol.
- Riche en vitamine C, bonnes quantités de vitamine E.

raisins

- Une bonne source d'antioxydants, surtout le resvératrol qui, selon les scientifiques, aurait des propriétés anticancéreuses et de réduction du cholestérol.

Légumes

ail

- La science a confirmé que l'ail consommé régulièrement permet de réduire les taux de cholestérol, la viscosité sanguine et stimule le système immunitaire; l'ail a des propriétés antibactériennes. L'ail et les oignons verts peuvent freiner la formation de composés cancérigènes et réduire le risque de thrombose et d'hypertension. L'ail peut aussi aider à traiter la congestion nasale. L'ail est plus efficace cru que cuit; l'odeur est moins prononcée si utilisé régulièrement. Ceux qui le tolèrent mal (indigestion chez certains) peuvent le prendre sous forme de capsules.
- Sélénium. Oligoélément reconnu comme un antioxydant essentiel; bon pour le système immunitaire, le cœur, la circulation sanguine et les articulations.

artichaut

- Un diurétique naturel qui facilite la digestion. Contient de la cyanarine qui, semblerait-il, protège le foie.
- Bêta-carotène, acide folique, la plupart des minéraux.

asperges

- Teneur élevée en antioxydants, vitamine C, carotène et acide folique. Un excellent diurétique qui aide le corps à éliminer le sel et l'excès d'eau.
- Chrome. Important pour l'équilibre du glucose et des graisses dans le sang et pour protéger le système nerveux.
- Bêta-carotène. Bon pour les yeux et la fonction immunitaire.
- Vitamine E. Prolonge la vie des cellules, accélère la guérison des blessures et aide à diminuer l'apparence des cicatrices.
- La vitamine E pourrait être plus efficace lorsqu'elle est prise avec d'autres antioxydants, surtout le sélénium et les vitamines A et C. L'apparence d'ecchymoses aux moindres traumatismes et la peau sèche démontrent une carence.

avocat

- Un excellent aliment pour la peau autant lorsque consommé qu'appliqué sur la peau. Souvent évité parce que perçu comme un aliment hypercalorique et engraissant, l'avocat devrait être classé dans les «bons gras».
- Monoinsaturé (comme l'huile d'olive) et vitamine E.

bambou (pousses de)

- Contiennent des quantités infimes de vitamine C, de calcium et de fer.
- Potassium.

betterave

- La betterave donne une belle couleur rouge à un délicieux jus à saveur de fruits.
- Chrome. Un élément important pour équilibrer les sucre et gras sanguins, et pour protéger le système nerveux.
- Excellente source d'acide folique, de vitamine C, de caroténoïdes et de potassium.

brocoli

- Les tiges sont particulièrement riches en calcium.
- Flavonoïdes.
- Taux élevé de sulforaphane, de bêta-carotène, d'acide folique, de potassium, de magnésium, de calcium.

carotte

- Différentes quantités de fibres, de bêta-carotène et de phénols (ou polyphénols), de puissants antioxydants favorables au système immunitaire.
- Abondance de caroténoïdes incluant le bêta-carotène. Cinq à six portions par jour peuvent aider à réduire largement le risque de cancer et de maladies cardio-vasculaires, et aussi à attraper moins de virus.
- Bêta-carotène. Essentiel pour les os, les dents, les yeux et la fonction immunitaire. En jus, augmente la biodisponibilité du carotène. Bon pour les yeux et stimule le système immunitaire.

- Les carottes contiennent aussi de petites quantités de calcium.

céleri

- Vitamine C. 250 ml (1 tasse) de céleri haché fournissent 10 % de la valeur quotidienne recommandée de vitamine C.

courge d'hiver

- Excellente source de caroténoïdes.

cresson

- Bêta-carotène.
- Vitamine C.

crucifères

- Appartiennent à un groupe de légumes qui stimulent le système immunitaire : les choux de Bruxelles, tous les choux incluant le pak-choï et le chou rouge, le brocoli chinois, le brocoli asperge vert et mauve, le chou-fleur, le chou vert. Ils sont bons pour les os. Les tiges, à moins qu'elles ne soient trop rigides, devraient être tranchées et utilisées en cuisson ; elles sont une excellente source de minéraux. Le chou vert et le brocoli chinois ont une teneur très élevée en calcium.
- Vitamine C. Bon pour le système immunitaire. Un peu de vitamine E, quelques vitamines B, acide folique.
- Sulforaphane, calcium, magnésium, silice, fer. Le sulforaphane est un autre élément chimique anticancéreux.
- Riche en fibres alimentaires.

épinards

- Antioxydant qui aide à protéger les yeux contre, entre autres, les cataractes et la dégénérescence maculaire liée au vieillissement.
- Magnésium, carotène et acide folique. Le magnésium est un aliment essentiel pour le cœur ; bon pour les dents et les os.
- Bêta-carotène. Bon pour les yeux et la fonction immunitaire.

feuilles de pissenlit

- Quelques jeunes feuilles fraîchement cueillies ajoutées à une salade en augmentent la valeur nutritive. Diurétique naturel.

gingembre frais

- Lorsque utilisé comme condiment, il présente des quantités minimes de minéraux.

haricots verts

- Fibres.
- Vitamine C.

légume-feuille vert

- Antioxydants, ils protègent aussi les yeux contre, entre autres, les cataractes et la dégénérescence maculaire liée au vieillissement.
- Bore. Oligoélément nécessaire en petites quantités, mais essentiel pour des os et des dents en santé. Peut aider à prévenir l'ostéoporose et l'arthrite ; bon pour les articulations. Le taux de bore dans les aliments dépend de l'état du terreau.
- Calcium. Pour la santé du sang, des vaisseaux sanguins, de la peau, des os et des muscles. Le calcium, combiné avec la vitamine C, produit du collagène. Les acides gras essentiels ont besoin du calcium pour fonctionner convenablement. Mis à part la fragilisation des os, le manque de calcium a un effet néfaste sur le système nerveux.
- Magnésium. Combiné aux acides gras, au calcium et au complexe vitaminique B pour aider le système nerveux et maintenir une production de cellules saines.
- Sélénium. Anti-inflammatoire et antioxydant ; aide la fonction immunitaire et améliore la résistance aux infections. Essentiel à la santé de la peau, des ongles et des cheveux.

- Complexe vitaminique B pour la réparation et la régénération des tissus de la peau, pour aider le système nerveux et tirer de l'énergie des aliments. Parmi les signes de carence : peau sensible, fourmillement dans les membres, fissures, ou plaies autour de la bouche et du nez ; yeux enflés qui piquent.
- Vitamine C. Sert à la fabrication de collagène qui donne à la peau son élasticité, essentielle à la guérison de plaies et protège des infections.
- Vitamine E. La vitamine E prolonge la vie des cellules, accélère la guérison des blessures et aide à réduire l'apparence des cicatrices. Un antioxydant essentiel. La recherche laisse entendre que la vitamine E est plus efficace lorsqu'elle est prise avec d'autres antioxydants, surtout le sélénium et les vitamines A et C.

légumes-racines

- Fibres.
- Acide folique et vitamine C.
- Sélénium. Anti-inflammatoire, antioxydant, stimule la fonction immunitaire et améliore la résistance aux infections ; essentiel pour une peau, des ongles et des cheveux en santé.

oignon

- Sélénium. Oligoélément reconnu comme antioxydant essentiel à la santé de la peau, des ongles et des cheveux. Les ongles qui s'écaillent ou saignent, des plaies lentes à guérir, des cheveux ternes et secs, une peau sèche indiquent parfois une carence en sélénium.

patate douce

- N'est pas une pomme de terre ; cousine de la famille des ignames. Sa chair rouge et sucrée renferme beaucoup de potassium.
- Bêta-carotène. Bon pour les yeux et la fonction immunitaire.

persil

- Un diurétique naturel et aide la digestion. Toutes les fines herbes sont riches en nutriments et ajoutent des vitamines et des minéraux.
- Potassium, acide folique et carotène en abondance.
- Fer. Essentiel à la santé du sang. Des ongles pâles et cassants et une peau pâle sont parfois une indication d'une carence en fer.
- Bêta-carotène. Bon pour les yeux et la fonction immunitaire.
- Vitamine C.

poivron

- Riche en vitamine C. Sert à la fabrication de collagène qui donne à la peau son élasticité, essentielle à la guérison de plaies et protège des infections.

pomme de terre

- Vitamine C.
- Vitamines B3 et B6.
- Citrouille
- Bêta-carotène. Bon pour les yeux et la fonction immunitaire.

tomate

- Mérite qu'on s'y attarde pour sa teneur élevée en vitamine C et en lycopène ; elle est aussi une source de fibres. Fait partie de la famille des solanacées ; autrefois, on la croyait toxique. Aliment aggravant de l'arthrite et d'allergies alimentaires selon certains, la tomate a plus récemment été reconnue comme un aliment anticancéreux ; devrait être consommée plusieurs fois par semaine. Le lycopène (un carotène) se dégage de la tomate pendant la cuisson et est mieux absorbé avec un peu d'huile.
- Sélénium.

Poissons/Fruits de mer

fruits de mer

(mollusques et crustacés)
- Chrome. Un facteur important pour l'équilibre du sucre et du gras dans le sang, et pour la protection du système nerveux.
- Sélénium.
- Zinc. Pour la guérison des blessures, la croissance et la réparation des cellules. Les peaux excessivement huileuses ou sèches, les infections persistantes, les taches blanches sur les ongles et la guérison lente de blessures indiquent une carence en zinc.

maquereau/sardine

- Calcium (en conserve seulement) et magnésium, essentiels pour les dents et les os, pour la santé du sang, des vaisseaux sanguins, de la peau, des os et des muscles. Le calcium travaille en collaboration avec la vitamine C à la production de collagène. Aucun acide gras essentiel ne peut être absorbé convenablement sans le calcium.
- Zinc (en conserve seulement). Stimule le système immunitaire et essentiel à la peau.
- Acides gras essentiels oméga-3, importants pour une vision claire.

poisson frais

- Magnésium. Les aliments à teneur élevée en magnésium jouent un rôle tout aussi important que le calcium dans la santé des muscles, des os et des dents. Un nutriment essentiel pour le cœur.
- Sélénium. Antioxydant essentiel pour le système immunitaire, mais aussi pour le cœur, la circulation et les articulations. Un anti-inflammatoire qui améliore la résistance aux infections ; essentiel à la santé de la peau, des ongles et des cheveux.

poisson gras

- Les poissons gras, surtout le maquereau, le saumon, les sardines, le thon et la truite, contiennent des acides gras essentiels oméga-3. Ces derniers sont vitaux au fonctionnement du cœur et de la circulation, et aident à réduire la viscosité du sang et à améliorer le ratio de bon cholestérol (lipoprotéine de haute densité - HDL). Les acides gras essentiels sont vitaux pour assurer le bon fonctionnement de chaque cellule du corps.

saumon

- Vitamines A et D.
- Vitamines B1, B2, B3, B5, B6, B12, et biotine.
- Le calcium (en conserve seulement) et le magnésium, des éléments nutritifs essentiels pour les dents et les os. Pour la santé du sang, des vaisseaux sanguins, de la peau, des os et des muscles. Le calcium travaille avec la vitamine C à la production de collagène. Tous les acides gras essentiels ne peuvent être absorbés convenablement sans le calcium.
- Acides gras essentiels oméga-3, importants pour une vision claire.

Viande

agneau

- Magnésium. Les aliments riches en magnésium sont tout aussi importants que le calcium pour le maintien de la santé des muscles, des os et des dents. C'est un nutriment absolument essentiel pour le cœur.
- Vitamines B.
- Fer.
- Zinc.

bouillon

(fait à partir d'os)
- Calcium. Nutriment essentiel pour le cœur ; bon pour les dents et les os.

foies de poulet

- Le complexe vitaminique B - pour la réparation et la régénération de la peau, aide le système nerveux et relâche l'énergie provenant des aliments. Parmi les signes de carence : peau sensible, fourmillement dans les membres, fissures, ou plaies autour de la bouche et du nez ; yeux enflés qui piquent.
- Chrome. Important pour l'équilibre du glucose et des graisses dans le sang et pour protéger le système nerveux.
- Vitamine A. Le foie est l'une des plus importantes sources de rétinol.
- Fer.
- Sélénium.

volaille

- Protéine.
- Vitamines B.
- Zinc. Stimule le système immunitaire et est essentiel à la peau.

Céréales

avoine

- Bonne source de fibres solubles qui peuvent contribuer à réduire le cholestérol.
- Vitamine B1.
- Petites quantités de vitamines B2, B3, B6 et d'acide folique.
- Zinc. Pour la guérison des blessures, la croissance et la réparation des cellules. Les peaux excessivement huileuses ou sèches, les infections persistantes, les taches blanches sur les ongles et la guérison lente de blessures indiquent une carence en zinc.

millet

- Zinc. Pour la guérison des blessures, croissance et réparation des cellules. Les peaux excessivement huileuses ou sèches, les infections persistantes, les taches blanches sur les ongles et la guérison lente de blessures indiquent une carence en zinc.

pâtes

- Protéine.
- Vitamines B1, B3.
- Fer.
- Petites quantités de magnésium, phosphore et zinc.

riz (brun)

- Acides gras essentiels.
- Magnésium. Tout aussi important que le calcium pour le maintien de la santé des muscles, des os et des dents.
- Sélénium.
- Zinc.
- Beaucoup plus nutritif que le riz blanc, le riz brun est aussi une excellente source de potassium, de vitamine B3, de vitamine E, et d'acide folique-et, bien sûr, de fibres alimentaires douces, mais efficaces.

seigle

- Zinc. Pour la guérison des blessures, la croissance et la réparation des cellules. Les peaux excessivement huileuses ou sèches, les infections persistantes, les taches blanches sur les ongles et la guérison lente de blessures indiquent une carence en zinc.
- Grains entiers.
- Complexe vitaminique B.
- Chrome.
- Magnésium.
- Sélénium.
- Vitamine E.

Haricots et légumineuses

- Le complexe vitaminique B (pour la réparation et la régénération de la peau), aide le système nerveux et relâche l'énergie provenant des aliments. Parmi les signes de carence : peau sensible, fourmillement dans les membres, fissures, ou plaies, autour de la bouche et du nez ; yeux enflés qui piquent.
- Fer. Essentiel à la santé du sang. Des ongles pâles et cassants et une peau pâle sont parfois une indication d'une carence en fer.
- Magnésium. Joue un rôle tout aussi important que le calcium dans la santé des muscles, des os et des dents. C'est un nutriment essentiel pour le cœur. Travaille en collaboration avec les acides gras, le calcium et le complexe vitaminique B pour aider le système nerveux et assurer la production de cellules saines.
- Vitamine B2. Certains symptômes de carence : conjonctivite, yeux injectés de sang et cataractes.
- Zinc. Stimulant essentiel du système immunitaire.

fèves rouges

- Zinc. Stimule le système immunitaire et aide à maintenir la peau en santé.

lentilles

- Zinc. Stimule le système immunitaire et aide à maintenir la peau en santé.

pois

- Vitamine C.
- Acide folique.
- Fibres.
- Petites quantités de fer, de zinc et de magnésium.

pois chiches

- Zinc. Stimule le système immunitaire et aide à maintenir la peau en santé.

soja

- Calcium. Pour la santé du sang, des vaisseaux sanguins, de la peau, des os et des muscles. Tous les acides gras essentiels ne peuvent être absorbés convenablement sans le calcium. On pense que les fèves de soja aident à équilibrer les hormones.
- Bonne source de phytœstrogènes pouvant aider à réduire le risque de cancer du sein et de la prostate.

tofu

(flan de germes de haricots)

- Une excellente source de protéine pour les végétariens, riche en calcium, en magnésium, en fer ; contient un peu de vitamine E.

Produits laitiers

babeurre

- Calcium.

beurre

- Vitamine A. Bon pour les yeux. Utiliser avec modération pour éviter l'excès de gras dans votre alimentation,.

fromage

- Calcium.
- Vitamine A. Bon pour les yeux.
- Vitamine B2. Certains symptômes de carence : conjonctivite, yeux injectés de sang et cataractes.
- Zinc. Pour la guérison des blessures, la croissance et la réparation des cellules. Les peaux excessivement huileuses ou sèches, les infections persistantes, les taches blanches sur les ongles et la guérison lente de blessures indiquent une carence en zinc.
- À consommer avec modération ; choisir surtout des fromages faibles en gras.

œufs

- Protéine.
- Chrome. Un facteur important pour l'équilibre du glucose et des gras dans le sang et pour protéger le système nerveux.
- Sélénium et petites quantités de fer et de zinc.
- Vitamine A. Bonne pour les yeux.
- Vitamine B2. Certains symptômes de carence : conjonctivite, yeux injectés de sang et cataractes.
- Les œufs sont une source de vitamines B3, B12, D, E et d'acide folique.

yogourt

- Calcium.
- Le yogourt de culture vivante et active est bénéfique autant pour la digestion que pour l'estomac, étant une source valable de bonnes bactéries. En usage topique, le yogourt vivant peut servir à calmer les coups de soleil légers, comme masque pour le visage, et pour traiter les échauffements vaginaux et oraux.
- Une source facile à digérer de protéine, de magnésium, de potassium, de zinc, de vitamines B1 et B2, et de vitamine A. Vitamine B2. Certains symptômes de carence : conjonctivite, yeux injectés de sang et cataractes.

Noix

- Contiennent du potassium, du magnésium, du sélénium, du fer et du zinc. Elles sont aussi appréciées pour leur teneur en fibres alimentaires et en acides gras monoinsaturés et polyinsaturés. Les noix les plus nutritives sont fraîches, non salées, ni écrasées ni rôties.
- Complexe vitaminique B. Pour la réparation et la régénération des tissus de la peau, aide le système nerveux et tire de l'énergie des aliments.
- Calcium. Pour la santé du sang, des vaisseaux sanguins, de la peau, des os et des muscles. Le calcium travaille en collaboration avec la vitamine C à la production de collagène.
- Fer. Essentiel à la santé du sang. Des ongles pâles et cassants et une peau pâle sont parfois une indication d'une carence en fer.
- Zinc. Pour la guérison des blessures, la croissance et la réparation des cellules. Les peaux excessivement huileuses ou sèches, les infections persistantes, les taches blanches sur les ongles et la guérison lente de blessures indiquent une carence en zinc.

▌ amandes

- Calcium.
- Magnésium.
- Acides gras essentiels oméga-6.
- Potassium, sélénium, fer et zinc.

▌ noix de cajou

- Magnésium.

▌ noisettes

- Bore.
- Potassium, magnésium, fer et zinc.
- Elles sont aussi appréciées pour leur teneur en fibres alimentaires et en acides gras monoinsaturés et polyinsaturés.

▌ noix de macadamia

- Potassium et fer.
- Elles sont aussi appréciées pour leur teneur en fibres alimentaires et en acides gras monoinsaturés et polyinsaturés.

▌ noix de Grenoble

- Acides gras essentiels oméga-3.

▌ noix du Brésil

- Calcium.
- Magnésium.
- Acides gras essentiels oméga-6.
- Potassium, sélénium, fer et zinc.
- Elles sont aussi appréciées pour leur teneur en fibres alimentaires et en acides gras monoinsaturés et polyinsaturés.

Graines comestibles

- Citrouille, sésame, tournesol, lin, pavot, céleri, aneth, fenouil, fenugrec. Teneur élevée en acides gras essentiels. Renferment du zinc, du potassium, du magnésium et du fer. Les graines de tournesol comportent beaucoup de vitamine E. Les graines de sésame sont riches en calcium.
- Le complexe vitaminique B. Pour la réparation et la régénération des tissus de la peau, aide le système nerveux et tire de l'énergie des aliments . Parmi les signes de carence : peau sensible, fourmillement dans les membres, fissures, ou plaies, autour de la bouche et du nez ; yeux enflés qui piquent.
- Calcium. Pour la santé du sang, des vaisseaux sanguins, de la peau, des os et des muscles. Le calcium, combiné avec la vitamine C, produit du collagène. Les acides gras essentiels ont besoin du calcium pour fonctionner convenablement. Mis à part la fragilisation des os, le manque de calcium a un effet néfaste sur le système nerveux.
- Fer. Essentiel à la santé du sang. Des ongles pâles et cassants et une peau pâle sont parfois une indication d'une carence en fer.
- Vitamine E. Prolonge la vie des cellules, accélère la guérison des blessures et aide à diminuer l'apparence des cicatrices. La vitamine E pourrait être plus efficace lorsqu'elle est prise avec d'autres antioxydants, surtout le sélénium et les vitamines A et C. L'apparence d'ecchymoses aux moindres traumatismes et la peau sèche démontrent une carence.
- Zinc. Pour la guérison des blessures, la croissance et la réparation des cellules.

▌ graines de citrouille

- Contiennent des acides gras essentiels, du potassium, du magnésium et du fer.
- Zinc. Essentiel pour le système immunitaire.

▌ graines de lin

- Riches en acides gras essentiels. Contiennent du zinc, du potassium, du magnésium et du fer.

▌ graines de sésame

- Calcium. Pour la santé du sang, des vaisseaux sanguins, de la peau, des os et des muscles. Les acides gras essentiels ne peuvent être absorbés convenablement sans le calcium.
- Vitamine E. Prolonge la vie des cellules, accélère la guérison des blessures et aide à diminuer l'apparence des cicatrices. Riche en acides gras essentiels. Petites quantités de magnésium, de phosphore et de fer.

▌ graines de tournesol

- Riches en acides gras essentiels. Teneur élevée en zinc, potassium, magnésium, vitamines B3 et B6, et acide folique. Les graines de tournesol contiennent beaucoup de vitamine E.

▌ tahini

- Profil similaire aux graines de sésame.

notes *sur* les ingrédients

Utilisez autant que possible des fruits, des légumes et des jus frais. Les produits biologiques sont préférables parce qu'ils sont exempts d'engrais chimiques. La meilleure façon de conserver la valeur nutritive des légumes est de les faire cuire à la vapeur ou au micro-ondes.

Les produits laitiers biologiques — lait, beurre, fromage et yogourt — sont vendus dans les magasins d'aliments naturels et dans les supermarchés. Les personnes allergiques ou intolérantes au lait de vache peuvent consommer du lait de chèvre, et du yogourt fait de lait de brebis ou de chèvre. Bien que la différence nutritionnelle entre les produits biologiques et ceux issus d'une agriculture intensive reste à démontrer, préférez tout de même l'agneau, la volaille et les œufs de ferme. Les huiles de tournesol, de sésame, de noisette et de noix de Grenoble devraient être pressées à froid. La plupart des huiles de cuisson de production de masse sont produites à partir de chaleur et de solvants. La pression à froid est plus coûteuse, mais permet une meilleure rétention de la valeur nutritive de l'huile, surtout les acides gras essentiels et la vitamine E. Dans les recettes qui comportent de l'huile d'olive, il vaut mieux utiliser de l'huile extra-vierge. Parce qu'elle est produite par pression plutôt que par un procédé chimique, les antioxydants sont préservés pour une meilleure valeur nutritionnelle et plus de saveur.

Le sucre blanc devrait servir le moins possible. Le sucre de canne, la mélasse, le sirop d'érable véritable et le miel pressé à froid sont des solutions de rechange à utiliser avec modération.

Les produits à grains entiers comme le riz brun, l'avoine, le seigle, le millet, l'orge et le couscous sont d'excellentes sources de fibres et du complexe vitaminique B. Le pain devrait être de blé entier (complet). Les gens qui souffrent d'une intolérance au gluten peuvent se procurer des farines et des pâtes faites de pommes de terre, de riz, de sarrasin ou de légumineuses.

La sauce de soja contient certains minéraux utiles, mais renferme aussi une grande quantité de sodium. Surveillez votre consommation de sel si vous souffrez d'hypertension. Aucune des recettes qui suivent ne contient plus de 15 ml (1 c. à soupe) de sauce de soja, mais certaines personnes vont préférer la version faible en sel.

notes *sur* les recettes

 Les quantités mesurées à la cuiller dans le présent ouvrage sont métriques :

5 ml = 1 c. à café (à thé)
15 ml = 1 c. à soupe

La préparation et la cuisson sont approximatives. Les fours devraient être préchauffés à la température spécifiée dans la recette. La cuisson indiquée dans toutes les recettes est basée sur un four préchauffé. Si vous utilisez un four à convection, suivez les directives du fabricant pour adapter le temps et la température.

Les plats surgelés peuvent être décongelés au micro-ondes ou laissés plusieurs heures ou toute la nuit au réfrigérateur.

On utilise des herbes fraîches dans plusieurs recettes. Celles-ci donnent plus de goût aux plats mais si on doit les remplacer par des herbes séchées, on doit diminuer la quantité du $2/3$. Cela ne s'applique pas aux recettes où on a recours à des herbes séchées comme par exemple les herbes de Provence, un mélange composé de romarin, thym, sauge, persil et laurier.

recettes *de* base

bouillon de poulet *maison*

■ ingrédients

- Os de poulet de ferme, non cuit, ou carcasse de poulet cuit
- 1 oignon ou 2 poireaux, tranchés
- 2 carottes, tranchées
- 2 branches de céleri, hachées
- 1 feuille de laurier ou 1 bouquet garni d'herbes fraîches
- 1,7 litre (7 tasses) d'eau
- Sel de mer
- Poivre noir, fraîchement moulu

donne environ
700 ml (3 tasses)

■ méthode

1 Défaire ou couper la carcasse en morceaux; mettre dans une grande casserole.

2 Ajouter les légumes, la feuille de laurier ou le bouquet garni et l'eau.

3 Porter à ébullition; baisser le feu, couvrir et laisser mijoter pendant environ 2 heures. Écumer et jeter le gras.

4 Passer le bouillon dans une passoire. Laisser refroidir, enlever le gras à la surface et jeter. Conserver au réfrigérateur jusqu'à 3 jours.

5 Rectifier l'assaisonnement avant l'utilisation.

bouillon de légumes *maison*

■ ingrédients

- 2 oignons, tranchés
- 1 grosse carotte, tranchée
- 1 poireau, tranché
- 4 branches de céleri, hachées
- 1 petit navet ou 115 g (4 oz) de rutabaga, coupé en dés
- 1 panais, tranché
- 1 bouquet garni frais ou 1 feuille de laurier
- 1,7 litre (7 tasses) d'eau
- Sel de mer
- Poivre noir, fraîchement moulu

donne environ
1,3 litre (6 tasses)

■ méthode

1 Mettre les légumes, le bouquet garni ou la feuille de laurier et l'eau dans une grande casserole.

2 Porter à ébullition; baisser le feu, couvrir partiellement et laisser mijoter doucement 1 à 1 1/2 h. Écumer la surface pendant la cuisson.

3 Passer le bouillon dans une passoire.

4 Assaisonner avec du sel et du poivre. Ce bouillon peut être conservé au réfrigérateur dans un contenant hermétique jusqu'à 3 jours, ou au congélateur jusqu'à 3 mois.

mayonnaise

◼ ingrédients

- 2 jaunes d'œufs
- 30 ml (2 c. à soupe) de vinaigre ou de jus de citron
- 30 ml (2 c. à soupe) d'eau
- 5 g (1 c. à café/à thé) de sucre
- 5 g (1 c. à café/à thé) de moutarde sèche
- ½ c. à café (à thé) de sel
- 1 pincée de poivre
- 250 ml (1 tasse) d'huile à cuisson

donne environ
200 ml (1 ¼ tasse)

◼ méthode

1 Dans une petite casserole, bien mélanger les jaunes d'œufs, le vinaigre, l'eau, le sucre, la moutarde, le sel et le poivre. Faire cuire à feu doux en remuant constamment jusqu'à ce que le mélange bouillonne. Retirer du feu. Laisser reposer pendant 4 minutes.

2 Verser dans un mélangeur. Couvrir et mélanger à vitesse maximale. Ajouter l'huile très lentement. Mélanger jusqu'à consistance épaisse et lisse. De temps à temps, arrêter le mélangeur et gratter les parois avec une spatule en caoutchouc, si nécessaire. Couvrir et réfrigérer jusqu'au moment de l'utilisation. La mayonnaise maison doit être utilisée dans les 5 jours.

vinaigrette *française*

◼ ingrédients

- 90 ml (¹/₃ de tasse) d'huile d'olive
- 30 ml (2 c. à soupe) de vinaigre de vin ou de cidre, ou de jus de citron
- 1 à 2 c. à café (à thé) de moutarde de Dijon
- 1 pincée de sucre
- 1 petite gousse d'ail, écrasée
- 15 à 30 ml (1 à 2 c. à soupe) d'herbes fraîches mélangées, hachées
- Sel de mer
- Poivre noir, fraîchement moulu

donne environ
150 ml (5 oz)

◼ méthode

1 Mettre tous les ingrédients dans un petit bol et bien mélanger au fouet, ou mettre tous les ingrédients dans un pot avec un couvercle qui visse et bien agiter.

2 Rectifier l'assaisonnement et servir immédiatement, ou conserver au réfrigérateur pendant un maximum d'une semaine. Bien agiter avant l'utilisation.

les aliments

Dans la section qui suit, vous trouverez des recettes composées d'aliments qui stimuleront votre système immunitaire, aideront à la formation d'os et de dents solides, amélioreront la santé de votre cœur et votre circulation sanguine et maintiendront la souplesse de vos articulations. Votre système immunitaire a besoin des vitamines A et C, ainsi que de zinc et de sélénium. Les poissons gras et le foie sont riches en vitamine A ; les patates douces et les carottes regorgent de bêta-carotène que le corps transforme en vitamine A. Pour ce qui est du zinc et du sélénium, salutaires pour le cœur, consommez des mollusques et des crustacés, de la viande, de la volaille, des pois cassés, des graines de citrouille, des lentilles, du riz brun, de l'ail, des noix du Brésil, du germe de blé cru, et autres grains. La vitamine C est en vedette lorsqu'il est question de santé. Les sources les plus riches sont l'orange, le pamplemousse, le kiwi, le citron, la lime, les poivrons rouges, le chou vert, la tomate, le brocoli et les choux de Bruxelles. La plupart des fruits et des légumes contiennent de la vitamine C.

POUR LE CORPS

Pour avoir un cœur en santé et une bonne circulation sanguine, le corps a besoin de magnésium, de sélénium, de calcium, de vitamine E et des acides gras essentiels oméga-3 et oméga-6. Les poissons gras sont riches en gras oméga-3 qui réduisent le risque de caillots sanguins et le taux de cholestérol. Les noix de Grenoble, les graines de lin, de tournesol et de citrouille et leurs huiles, sont à la fois riches en acides gras oméga-3 et oméga-6. Elles contiennent aussi de la vitamine E qui aide à protéger le cœur et les articulations. Les avocats et les légumes-feuilles verts comme le brocoli contiennent beaucoup de vitamine E. Pour ce qui est du calcium et du magnésium, qui sont essentiels pour des os et des dents en santé, veillez à inclure dans votre alimentation des produits laitiers faibles en gras, du germe de blé, des amandes, des noix de cajou, des noix du Brésil, des graines de sésame, des légumes-feuilles vert foncé et du tofu. Vous trouverez tous ces aliments dans les succulentes recettes qui suivent. Bon appétit !

les aliments *pour le* système immunitaire

La vitamine A et le zinc sont des nutriments essentiels au système immunitaire. On en trouve beaucoup dans les fruits de mer, la volaille, les œufs, les pois verts et les haricots, le riz brun et la plupart des légumineuses. Bien que la vitamine A ne se trouve que dans les produits d'origine animale, le bêta-carotène peut être transformé en vitamine A par le corps. Le sélénium, l'oligoélément, est aussi important et on en trouve en quantité suffisante dans la viande, les grains, le riz brun, les fruits de mer, le poisson frais, les œufs, le foie et les rognons de poulet, et les noix du Brésil. Les légumes et les fruits frais en contiennent aussi un peu.

soupe *aux* carottes *et à* la coriandre

Les carottes sont une source élevée de bêta-carotène (pour la vitamine A), qu'on associe à la baisse des taux de cancer et de maladies cardiovasculaires, et qui est plus biodisponible dans les carottes cuites que crues.

■ ingrédients

- 15 ml (1 c. à soupe) d'huile d'olive
- 2 oignons, hachés
- 700 g (1 ½ lb) carottes, tranchées
- 850 ml (28 oz) de bouillon de légumes (voir recette à la page 20)
- Sel de mer
- Poivre noir, fraîchement moulu
- 40 à 45 ml (2 à 3 c. à soupe) de coriandre fraîche, hachée
- Brins de coriandre fraîche, pour garnir

pour *4 personnes*
préparation *15 minutes*
cuisson *30 minutes*

■ méthode

1 Faire chauffer l'huile dans une grande casserole. Ajouter les oignons et faire amollir doucement pendant 5 minutes.

2 Ajouter les carottes, le bouillon et les assaisonnements. Couvrir et porter à ébullition; réduire le feu et laisser mijoter pendant 25 minutes en remuant.

3 Retirer la casserole du feu et laisser refroidir légèrement; réduire en purée à l'aide d'un robot culinaire.

4 Verser dans la casserole rincée à l'eau. Incorporer la coriandre hachée, remuer et faire chauffer à nouveau à feu doux, en remuant de temps à autre.

5 Servir à la louche dans des bols chauffés et garnir de coriandre.

6 Servir avec des petits pains, ou des biscottes, de blé entier (complet) chauds.

variantes

- *Ajouter le zeste râpé fin d'une orange et son jus juste avant de servir.*
- *Ajouter 1 à 2 c. à café (à thé) de gingembre frais pelé et râpé aux carottes.*

mode de congélation

Laisser la soupe refroidir complètement avant de la verser dans un contenant rigide allant au congélateur. Couvrir, sceller et étiqueter. Se conserve jusqu'à 3 mois. Laisser décongeler pendant plusieurs heures ou pendant la nuit au réfrigérateur. Réchauffer à feu doux jusqu'à ce qu'elle soit très chaude.

salade de poivron, de tomate *et* de basilic

Les poivrons et les tomates contiennent du bêta-carotène, de la vitamine C, des fibres et des antioxydants, qui sont bénéfiques pour le système immunitaire.

■ ingrédients

- 2 poivrons jaunes
- 1 poivron rouge
- 450 g (1 lb) de tomates italiennes
- Brins de basilic frais, pour garnir

pour la vinaigrette

- 60 ml (¼ de tasse) d'huile d'olive
- 15 ml (1 c. à soupe) de vinaigre balsamique
- 1 pincée de cassonade
- 30 ml (2 c. à soupe) de basilic frais, haché
- Sel de mer
- Poivre noir, fraîchement moulu

pour *4 personnes*
préparation *15 minutes, plus 1 heure de refroidissement*
cuisson *aucune*

■ méthode

1 Parer et trancher les poivrons et les tomates et les disposer dans une assiette de service.

2 Préparer la vinaigrette en fouettant ensemble l'huile, le vinaigre, la cassonade, le basilic et les assaisonnements dans un petit bol.

3 Verser en filet sur les poivrons et les tomates. Couvrir et laisser reposer à la température de la pièce pendant 1 heure pour permettre aux saveurs de se marier entièrement.

4 Garnir de brins de basilic frais.

5 Servir avec du pain croûté de blé entier (complet) ou une pomme de terre au four.

variante

- *Remplacer le basilic par un mélange d'herbes fraîches ou de ciboulette.*

soupes *et* hors d'œuvre

poivrons grillés *avec* fromage *de* chèvre

Les poivrons sont une bonne source de bêta-carotène et de vitamine C, deux excellentes vitamines pour stimuler le système immunitaire.

▌ ingrédients

- 2 poivrons rouges
- 2 poivrons jaunes
- 225 g ($^1/_2$ lb) de fromage de chèvre, coupé en dés ou tranché
- 16 olives noires

pour la vinaigrette

- 60 ml ($^1/_4$ de tasse) d'huile d'olive
- 15 à 30 ml (1 à 2 c. à soupe) d'herbes fraîches mélangées, hachées
- Sel de mer
- Poivre noir, fraîchement moulu

pour *4 personnes*
préparation *15 minutes, et le temps de refroidissement*
cuisson *10 minutes*

▌ méthode

1 Préchauffer le gril du four à température maximale.

2 Couper en deux et parer les poivrons. Les disposer sur une grille et faire griller environ 10 minutes, en les tournant de temps à autre, jusqu'à ce que la peau soit noircie et la chair tendre.

3 Mettre les poivrons dans un contenant couvert et laisser refroidir. Enlever et jeter la peau.

4 Trancher les poivrons et les disposer dans quatre assiettes de service. Mettre les dés ou les tranches de fromage sur les poivrons.

5 Préparer la vinaigrette en fouettant ensemble l'huile, les herbes et les assaisonnements dans un bol. Versez en filet sur le fromage et les poivrons.

6 Garnir d'olives noires.

7 Servir avec une pomme de terre au four ou du pain.

variantes

- *Remplacer le fromage de chèvre par du féta ou du fromage haloumi.*
- *Remplacer les herbes fraîches mélangées par du basilic frais haché.*
- *Utiliser une moitié d'huile d'olive et une moitié d'huile de noix de Grenoble.*

soupes *et* hors d'œuvre

salade *de* crevettes tiède *aux* fines herbes

 Les mollusques et les crustacées sont riches en zinc, un stimulant du système immunitaire.

ingrédients

- 2 carottes
- 125 g (4 ½ oz) d'un mélange d'épinards, de lollo rosso, de bette à carde rouge et de mizuna
- 15 ml (1 c. à soupe) d'huile d'olive
- 200 g (7 oz) de petites crevettes surgelées, décongelées
- 200 g (7 oz) de grosses crevettes surgelées, décongelées

pour la vinaigrette

- 60 ml (¼ de tasse) d'huile d'olive
- 15 ml (1 c. à soupe) de jus d'orange non sucré
- 10 ml (2 c. à café/à thé) de vinaigre de vin blanc
- 1 c. à café (à thé) de moutarde de Dijon
- 15 à 30 ml (1 à 2 c. à soupe) de fines herbes mélangées, hachées
- Sel de mer
- Poivre noir, fraîchement moulu

pour *4 personnes*
préparation *15 minutes*
cuisson *5 minutes*

méthode

1 Peler les carottes. À l'aide d'un économe, les couper en fines lanières. Mélanger avec les laitues et disposer dans quatre assiettes.

2 Préparer la vinaigrette en fouettant ensemble l'huile, le jus d'orange, le vinaigre, la moutarde, les herbes et les assaisonnements dans un bol. Réserver.

3 Faire chauffer 15 ml (1 c. à soupe) d'huile dans un wok ou une poêle antiadhésive. Ajouter les crevettes et faire sauter à feu élevé pendant environ 5 minutes, jusqu'à ce qu'elles soient cuites.

4 Disposer les crevettes sur les feuilles de laitue. Donner un petit coup de fouet à la vinaigrette et verser en filet sur les salades.

5 Servir immédiatement avec des biscottes ou du pain croûté de blé entier (complet).

variantes

- *Remplacer les carottes par des courgettes.*
- *Remplacer le jus d'orange par du jus de pomme non sucré.*
- *Remplacer la moutarde de Dijon par de la moutarde à l'ancienne.*

saumon poivré *en* papillote

 Riche en vitamine E, un élément essentiel pour le système immunitaire.

▊ ingrédients

- 30 à 45 ml (2 à 3 c. à soupe) d'un mélange de grains de poivre
- 4 darnes de saumon d'environ 175 g (6 oz) chacune
- le jus de 2 limes

pour *4 personnes*
préparation *10 minutes*
cuisson *20 à 25 minutes*

▊ méthode

1 Préchauffer le four à 180 °C (350 °F).

2 Écraser grossièrement les grains de poivre à l'aide d'un mortier et en saupoudrer une assiette. Presser chaque darne sur le poivre, en couvrant bien la surface.

3 Couper quatre feuilles de papier parchemin assez grandes pour contenir une darne. Disposer une darne au centre de chaque papier et verser un filet de jus de lime. Emballer en papillote en veillant à tourner les extrémités.

4 Placer les papillotes sur une lèchefrite et faire cuire de 20 à 25 minutes, jusqu'à ce que le poisson soit cuit et que la chair s'effeuille sous les dents d'une fourchette.

5 Placer les papillotes fermées sur des assiettes chauffées et servir accompagnées de légumes frais cuits comme des pommes de terre nouvelles, des bouquets de brocoli et des bâtonnets de carottes.

variantes

- *Remplacer les darnes de saumon par du thon.*
- *Remplacer le jus de lime par du jus de citron.*

poissons *et* fruits de mer

brochettes de poulet au citron *avec* riz aux fines herbes

 Le poulet et le riz brun sont une source de zinc, de sélénium et de vitamines B, des éléments bons pour le système immunitaire et pour la croissance et la réparation des cellules.

■ ingrédients

- 450 g (1 lb) de poitrines de poulet, désossées, coupées en cubes de 2,5 cm (1 po)

- 2 citrons

- 30 ml (2 c. à soupe) d'huile d'olive

- 1 grosse gousse d'ail, écrasée

- 30 ml (2 c. à soupe) de coriandre fraîche, hachée

- Sel de mer

- Poivre noir, fraîchement moulu

- 225 g (1 ¼ tasse) de riz brun

- 2 poivrons orange épépinés, coupés en 8

- 16 champignons blancs

- 30 à 45 ml (2 à 3 c. à soupe) de fines herbes mélangées, hachées

pour *4 personnes*
préparation *20 minutes, et 1 heure de macération*
cuisson *35 minutes*

■ méthode

1 Disposer les poitrines de poulet dans un plat peu profond, non métallique ; réserver.

2 Râper finement le zeste d'un citron et presser le jus des deux citrons. Mettre le zeste et le jus dans un petit bol avec l'huile, l'ail, la coriandre et les assaisonnements ; fouetter ensemble.

3 Recouvrir complètement le poulet de marinade. Couvrir et réfrigérer pendant 1 heure.

4 Faire cuire le riz dans une casserole d'eau bouillante, légèrement salée, pendant environ 35 minutes jusqu'à ce qu'il soit tendre. Bien égoutter ; rincer à l'eau chaude. Égoutter à nouveau et garder au chaud.

5 Entre-temps, faire chauffer le gril du four à température moyenne. Embrocher le poulet, les poivrons et les champignons sur quatre longues brochettes, en répartissant les ingrédients également.

6 Disposer les brochettes sur la grille d'une lèchefrite. Faire griller pendant 10 minutes, en les tournant de temps à autre, jusqu'à ce que le poulet soit cuit et tendre. Badigeonner fréquemment les brochettes avec la marinade.

7 Incorporer le mélange d'herbes au riz et servir dans les assiettes chaudes, surmonté des brochettes cuites.

8 Servir avec une salade de légumes mélangés.

variantes

- *Remplacer les poitrines de poulet par des escalopes de dindon.*

- *Remplacer les poivrons et les champignons par des tranches de courgette et des tomates cerises.*

- *Remplacer le zeste et le jus de citron par du zeste et du jus de lime.*

foies de poulet *à la* diable

Consommé à l'occasion, le foie est un aliment nutritif qui renferme de la vitamine A, un élément important pour le système immunitaire et pour la peau, les yeux et les os.

■ ingrédients

- 30 g (2 c. à soupe) de beurre
- 4 échalotes, tranchées finement
- 330 g (³/4 de lb) de foies de poulet, tranchés
- 225 g (¹/2 lb) de champignons, tranchés
- 2 c. à café (à thé) de moutarde anglaise
- 1 trait de tabasco
- 30 ml (2 c. à soupe) de crème fraîche ou de crème sûre (aigre) faible en gras
- Sel de mer
- Poivre noir, fraîchement moulu
- 30 ml (2 c. à soupe) de persil frais, haché, pour garnir

pour *4 personnes*
préparation *15 minutes*
cuisson *15 minutes*

■ méthode

1 Faire fondre le beurre dans une grande poêle antiadhésive. Ajouter les échalotes et laisser cuire doucement 5 minutes, en remuant souvent.

2 Ajouter les foies de poulet et les champignons et faire cuire 5 minutes, en remuant de temps à autre.

3 Ajouter la moutarde et le tabasco. Laisser cuire 3 à 4 minutes de plus jusqu'à ce que les foies soient cuits, en remuant de temps à autre.

4 Incorporer la crème fraîche ou la crème sûre légère et réchauffer doucement.

5 Assaisonner de sel et de poivre et de persil frais haché au goût.

6 Servir sur un lit de pâtes cuites ou de nouilles au riz, et accompagner d'un mesclun.

variantes

- *Ajouter 1 c. à café (à thé) de moutarde de plus pour une sauce légèrement plus relevée.*
- *Utiliser des champignons sauvages frais comme des shiitakes et des pleurotes.*
- *Remplacer les échalotes par 1 poireau.*

viandes *et* volailles

salade de chou *aux* fruits *et aux* noix

 Les noix entières comme celles du Brésil et les amandes sont une bonne source de vitamine E et d'acides gras essentiels oméga-6.

■ ingrédients

- 225 g ($^1/_2$ lb) de chou vert ou blanc
- 225 g ($^1/_2$ lb) de chou rouge
- 1 grosse carotte
- 4 branches de céleri
- 115 g ($^1/_4$ de lb) de raisins secs
- 115 g ($^1/_4$ de lb) d'abricots séchés, hachés
- 175 g (6 oz) d'un mélange de noix du Brésil et d'amandes, hachées grossièrement

pour la vinaigrette

- 125 ml ($^1/_2$ tasse) de mayonnaise (voir recette à la page 21)
- 60 ml ($^1/_4$ de tasse) de yogourt nature
- 45 ml (3 c. à soupe) d'un mélange de persil et de ciboulette frais, hachés
- Sel de mer
- Poivre noir, fraîchement moulu

pour *6 personnes*
préparation *20 minutes, plus 1 à 2 heures de réfrigération*

■ méthode

1 Râper les choux, râper grossièrement la carotte et hacher le céleri. Mettre dans un grand bol. Ajouter les fruits séchés et les noix; mélanger.

2 Préparer la vinaigrette en mélangeant la mayonnaise, le yogourt, les herbes et les assaisonnements dans un petit bol.

3 Verser la vinaigrette sur le mélange de choux et bien mélanger. Couvrir et laisser refroidir de 1 à 2 heures avant de servir.

4 Servir avec une pomme de terre au four ou des tranches de pain croûté de blé entier (complet).

variantes

- *Remplacer le céleri par 175 g (6 oz) de champignons tranchés.*
- *Remplacer les abricots séchés par des poires, des pêches ou des mangues séchées.*
- *Remplacer les raisins secs par des raisins dorés.*

légumes

sauté de légumes verts *avec* graines de citrouille

Les graines de citrouile sont riches en zinc tandis que les légumes verts regorgent de bêta-carotène (pour la vitamine A), de vitamine C, d'acide folique, de magnésium et de fer.

▌ ingrédients

- 225 g (¹/₂ lb) de petits bouquets de brocoli
- 175 g (6 oz) de haricots verts, coupés en morceaux de 2,5 cm (1 po)
- 30 ml (2 c. à soupe) d'huile d'olive
- 1 poivron vert, épépiné et tranché
- 12 à 16 oignons verts, hachés
- 1 gousse d'ail, écrasée
- 115 g (¹/₄ de lb) de feuilles d'épinard émincées
- 30 ml (2 c. à soupe) de xérès sec
- 15 ml (1 c. à soupe) de sauce soja légère
- 30 à 45 ml (2 à 3 c. à soupe) de graines de citrouille
- Sel de mer
- Poivre noir, fraîchement moulu

pour *4 personnes*
préparation *15 minutes*
cuisson *10 minutes*

▌ méthode

1 Blanchir les bouquets de brocoli et les haricots verts dans une casserole d'eau bouillante pendant 2 minutes ; égoutter soigneusement.
2 Faire chauffer l'huile dans un wok ou une poêle anthiadhésive. Ajouter le brocoli, les haricots, le poivron, les oignons verts et l'ail, et faire revenir à feu élevé de 3 à 4 minutes.
3 Ajouter les épinards et faire revenir de 1 à 2 minutes de plus.
4 Ajouter le xérès, la sauce soja, les graines de citrouille et les assaisonnements ; faire revenir de 1 à 2 minutes jusqu'à ce que les légumes soient cuits.
5 Servir avec une pomme de terre au four ou sur un lit de riz brun.

variantes

• *Remplacer l'huile d'olive par de l'huile de sésame.*

• *Remplacer le xérès par du jus de pomme non sucré.*

légumes

ragoût de légumes *et de* lentilles

Les lentilles sont une excellente source de zinc, tandis que les légumes-racines fournissent une variété de vitamines et de minéraux, incluant de la vitamine C, de l'acide folique, du potassium et du magnésium.

■ ingrédients

- 15 ml (1 c. à soupe) d'huile d'olive
- 1 oignon, tranché
- 1 gousse d'ail, écrasée
- 15 g (2 c. à soupe) de farine de blé entier (complète) ou de pomme de terre
- 850 ml (3 ¹/₂ tasses) de bouillon de légumes (voir recette à la page 20)
- 225 g (¹/₂ lb) de pommes de terre, coupées en dés
- 225 g (¹/₂ lb) de carottes, tranchées finement
- 175 g (6 oz) de rutabaga, coupé en dés
- 175 g (6 oz) de panais, coupé en dés
- 3 branches de céleri, hachées
- 225 g (¹/₂ lb) de lentilles vertes ou brunes, entières
- 400 g (14 oz) de tomates en conserve, hachées
- 2 c. à café (à thé) d'un mélange d'herbes séchées
- 1 c. à café (à thé) de cumin moulu
- Sel de mer et poivre noir, fraîchement moulu
- Brins de fines herbes pour garnir

pour *6 personnes*
préparation *15 minutes*
cuisson *55 à 70 minutes*

■ méthode

1 Faire chauffer l'huile dans une grande casserole. Ajouter l'oignon et l'ail et faire cuire pendant 3 minutes, en remuant.

2 Ajouter la farine et laisser cuire pendant 30 secondes, en remuant.

3 Retirer la casserole du feu et verser graduellement le bouillon, en remuant constamment.

4 Ajouter le reste des ingrédients, sauf les herbes pour la garniture; mélanger.

5 Porter lentement à ébullition, en remuant constamment. Couvrir et laisser mijoter de 45 à 60 minutes, jusqu'à ce que les légumes et les lentilles soient tendres, en remuant de temps à autre.

6 Rectifier l'assaisonnement.

7 Servir sur un lit de riz brun ou avec des pommes de terre en purée; garnir de brins de fines herbes.

variantes

• Pour cuire ce plat au four, faire blanchir les pommes de terre, égoutter et ajouter un peu d'huile d'olive. Amener le ragoût à ébullition, tel qu'il est indiqué, et transférer dans un plat allant au four. Disposer les pommes de terre sur le dessus, en recouvrant le mélange de légumes complètement. Cuire au four préchauffé à 200 °C (400 °F) environ 1 heure.

• Remplacer les pommes de terre et le rutabaga par des patates douces et du navet. Pour un plus grand apport en vitamine C, ajouter quelques feuilles de chou.

mode de congélation

Laisser refroidir complètement avant de verser dans un contenant rigide allant au congélateur. Couvrir, sceller et étiqueter. Se conserve jusqu'à 3 mois. Laisser décongeler pendant plusieurs heures et réchauffer à feu doux.

légumes

croquants *aux* figues

Les figues, fraîches et séchées, regorgent de fibres alimentaires, de fer, de magnésium et de calcium.

■ ingrédients

- 115 g (¹/2 tasse) de beurre
- 115 g (¹/2 tasse) de cassonade pâle
- 30 ml (2 c. à soupe) de miel
- 175 g (6 oz) de flocons d'avoine
- 1 c. à café (à thé) d'épices mélangées, moulues
- 85 g (3 oz) de figues séchées, hachées finement
- 25 g (1 oz) de pommes séchées, hachées finement

donne *environ 8 à 10 portions*
préparation *15 minutes*
cuisson *20 à 30 minutes*

■ méthode

1 Préchauffer le four à 180 °C (350 °F).
2 Graisser un moule à gâteau profond de 18 cm (7 po).
3 Mettre le beurre, la cassonade et le miel dans une casserole et faire chauffer doucement jusqu'à ce que le tout soit fondu. Retirer du feu.
4 Incorporer l'avoine, les épices, les figues et les pommes ; bien mélanger. Verser dans le moule et bien étaler.
5 Faire cuire de 20 à 30 minutes, jusqu'à bien doré.
6 Couper en doigts ou en carrés et laisser refroidir dans le moule.

variantes

- *Remplacer le miel par du sirop d'érable.*
- *Utiliser du müesli ou un mélange d'avoine et d'orge ou de flocons de seigle.*

mode de congélation

Laisser refroidir complètement, emballer dans du papier d'aluminium ou mettre dans des sacs à congélateur étiquetés. Se conserve jusqu'à 3 mois. Laisser décongeler plusieurs heures à la température de la pièce avant de servir.

gelée *aux* fruits rouges

Les fruits rouges contiennent du bêta-carotène, de la vitamine C, ainsi que des antioxydants.

■ ingrédients

- 425 ml (15 oz) de jus de pomme non sucré
- 115 g (¹/2 tasse) de sucre
- le jus d'un citron
- 1 enveloppe (11 g) de gélatine en poudre
- 150 ml (5 oz) de vin rouge
- 225 g (¹/2 lb) d'un mélange de fruits rouges : petites fraises, framboises, etc.
- Brins de menthe fraîche, pour garnir

pour *6 personnes*
préparation *15 minutes, plus le temps de prise*
cuisson *10 minutes*

■ méthode

1 Verser le jus de pomme et le sucre dans une casserole et faire chauffer lentement, en remuant jusqu'à ce que le sucre soit dissous. Porter à ébullition, et laisser mijoter 5 minutes.
2 Mettre le jus de citron dans un bol avec 30 ml (2 c. à soupe) d'eau et saupoudrer la gélatine. Laisser tremper pendant quelques minutes avant de poser le bol au-dessus d'une casserole d'eau bouillonnante et remuer jusqu'à ce que la gélatine soit dissoute.
3 Incorporer la gélatine et le vin rouge au sirop et bien mélanger. Laisser refroidir un peu.
4 Disposer les fruits dans des coupes de service et y verser un peu de la préparation. Laisser refroidir un peu, et réfrigérer jusqu'à ce que la gélatine soit prise.
5 Verser le reste de la préparation dans les coupes. Réfrigérer jusqu'à ce que la gélatine soit prise.
6 Garnir de brins de menthe fraîche et servir avec une généreuse cuillerée de yogourt, de crème fraîche ou de crème sûre (aigre) légère.

variantes

- *Utiliser du vin blanc ou rosé.*
- *Remplacer le jus de pomme par du jus de raisin non sucré.*

desserts

assiette *de* fruits *et de* noix chocolatés

 Irrésistible ! Tous les fruits frais contiennent des nutriments qui font partie du groupe d'éléments qui stimulent le système immunitaire.

ingrédients

- 450 g (1 lb) de fruits fermes tels kiwi, ananas, abricots, pêches, cerises et fraises
- 225 g (¹/2 lb) de chocolat noir
- 225 g (¹/2 lb) de noix entières écalées telles noix du Brésil, amandes, noix de Pécan et de cajou

pour *6 personnes*
préparation *30 minutes*

méthode

1 Tapisser deux plaques à pâtisserie de papier parchemin et réserver.

2 Peler les kiwis et l'ananas. Dénoyauter les abricots et les pêches. Couper les fruits en tranches ou en quartiers, mais laisser les fraises entières.

3 Mettre le chocolat dans un petit bol au-dessus d'une casserole d'eau très chaude (pas en ébullition), en veillant à ce que le fond du bol ne touche pas à l'eau. Remuer le chocolat jusqu'à ce qu'il soit complètement fondu ; retirer du feu.

4 Veiller à ce que la surface des fruits soit sèche. Tenir une extrémité d'un morceau de fruit avec les doigts, ou une fourchette, et tremper l'autre extrémité dans le chocolat. Laisser égoutter au-dessus du bol pendant quelques secondes. Déposer soigneusement le fruit sur une des plaques.

5 Répéter avec le reste des morceaux de fruits et les noix. Laisser sécher complètement avant de les retirer du papier parchemin.

6 Disposer sur une assiette de service et servir immédiatement.

variantes

- *Tremper des fruits séchés comme des abricots entiers, de gros raisins, des dattes ou des bananes dans du chocolat fondu.*
- *Tremper des morceaux de fruits confits dans du chocolat fondu.*

desserts

une pomme *par* jour...

É vitez le médecin et alimentez-vous de façon optimale avec le délicieux menu qui suit. Les vitamines et les minéraux dont regor- gent ces recettes contribueront à aider votre système immunitaire à se défendre contre les virus et les bactéries.

soupe *aux* carottes *et à la* coriandre

Les carottes sont une source élevée de bêta-carotène (pour la vitamine A), qu'on associe à la baisse des taux de cancer et de maladies cardiovasculaires, et qui est plus biodisponible dans les carottes cuites que crues.

■ ingrédients

- 15 ml (1 c. à soupe) d'huile d'olive
- 2 oignons, hachés
- 700 g (1 ½ lb) de carottes, tranchées
- 850 ml (28 oz) de bouillon de légumes (voir recette à la page 20)
- Sel de mer
- Poivre noir, fraîchement moulu
- 40 à 45 ml (2 à 3 c. à soupe) de coriandre fraîche, hachée
- Brins de coriandre fraîche, pour garnir

pour *4 personnes*
préparation *15 minutes*
cuisson *30 minutes*

■ méthode

1 Faire chauffer l'huile dans une grande casserole. Ajouter les oignons et faire amollir doucement pendant 5 minutes.

2 Ajouter les carottes, le bouillon et les assaisonnements. Couvrir et porter à ébullition ; réduire le feu et laisser mijoter pendant 25 minutes en remuant.

3 Retirer la casserole du feu et laisser refroidir légèrement ; réduire en purée à l'aide d'un robot culinaire.

4 Verser dans la casserole rincée à l'eau. Incorporer la coriandre hachée, remuer et faire chauffer à nouveau à feu doux, en remuant de temps à autre.

5 Servir à la louche dans des bols chauffés et garnir de brins de coriandre.

6 Servir avec des petits pains, ou des biscottes, de blé entier (complet) chauds.

brochettes *de* poulet *au* citron *avec* riz *aux* fines herbes

Le poulet et le riz brun sont une source de zinc, de sélénium et de vitamines B, des éléments bons pour le système immunitaire, et pour la croissance et la réparation des cellules.

ingrédients

- 450 g (1 lb) de poitrines de poulet, désossées, coupées en cubes de 2,5 cm (1 po)
- 2 citrons
- 30 ml (2 c. à soupe) d'huile d'olive
- 1 grosse gousse d'ail, écrasée
- 30 ml (2 c. à soupe) de coriandre fraîche, hachée
- Sel de mer
- Poivre noir, fraîchement moulu
- 225 g (1 ¼ tasse) de riz brun
- 2 poivrons orange épépinés, coupés en 8
- 16 champignons blancs
- 30 à 45 ml (2 à 3 c. à soupe) de fines herbes mélangées, hachées

pour *4 personnes*
préparation *20 minutes,*
et 1 heure de macération
cuisson *35 minutes*

méthode

1 Disposer les poitrines de poulet dans un plat peu profond, non métallique ; réserver.

2 Râper finement le zeste d'un citron et presser le jus des deux citrons. Mettre le zeste et le jus dans un petit bol avec l'huile, l'ail, la coriandre et les assaisonnements ; fouetter ensemble.

3 Recouvrir complètement le poulet de marinade. Couvrir et réfrigérer pendant 1 heure.

4 Faire cuire le riz dans une casserole d'eau bouillante, légèrement salée, pendant environ 35 minutes jusqu'à ce qu'il soit tendre. Bien égoutter ; rincer à l'eau chaude. Égoutter à nouveau et garder au chaud.

5 Entre-temps, faire chauffer le gril du four à température moyenne. Embrocher le poulet, les poivrons et les champignons sur quatre longues brochettes, en répartissant les ingrédients également.

6 Disposer les brochettes sur la grille d'une lèchefrite. Faire griller pendant 10 minutes, en les tournant de temps à autre, jusqu'à ce que le poulet soit cuit et tendre. Badigeonner fréquemment les brochettes avec la marinade.

7 Incorporer le mélange d'herbes au riz et servir dans les assiettes chaudes, surmonté des brochettes cuites.

8 Servir avec une salade de légumes mélangés.

gelée *aux* fruits rouges

Les fruits rouges contiennent du bêta-carotène (pour la vitamine A) et de la vitamine C, ainsi que des antioxydants qui peuvent aider votre système immunitaire.

ingrédients

- 425 ml (15 oz) de jus de pomme non sucré
- 115 g (½ tasse) de sucre
- le jus d'un citron
- 1 enveloppe (11 g) de gélatine en poudre
- 150 ml (5 oz) de vin rouge
- 225 g (½ lb) d'un mélange de fruits rouges : petites fraises, framboises, etc.
- Brins de menthe fraîche, pour garnir

pour *6 personnes*
préparation *15 minutes, plus le temps de prise*
cuisson *10 minutes*

méthode

1 Verser le jus de pomme et le sucre dans une casserole et faire chauffer lentement, en remuant jusqu'à ce que le sucre soit dissous. Porter à ébullition, et laisser mijoter 5 minutes.

2 Mettre le jus de citron dans un bol avec 30 ml (2 c. à soupe) d'eau et saupoudrer la gélatine. Laisser tremper pendant quelques minutes avant de poser le bol au-dessus d'une casserole d'eau bouillonnante et remuer jusqu'à ce que la gélatine soit dissoute.

3 Incorporer la gélatine et le vin rouge au sirop et bien mélanger. Laisser refroidir un peu.

4 Disposer les fruits dans des coupes de service et y verser un peu de la préparation. Laisser refroidir un peu, et réfrigérer jusqu'à ce que la gélatine soit prise.

5 Verser le reste de la préparation dans les coupes. Réfrigérer jusqu'à ce que la gélatine soit prise.

6 Garnir de brins de menthe fraîche et servir avec une généreuse cuillerée de yogourt, de crème fraîche ou de crème sûre (aigre) légère.

les aliments *pour le* cœur *et la* circulation

Les acides gras essentiels oméga-3 ont la faculté d'empêcher les caillots de sang, de contrôler le cholestérol et de réduire le risque de thrombose. Les poissons gras en sont une source importante, bien que les noix de Grenoble et les graines en contiennent aussi beaucoup. La vitamine C assure la santé des vaisseaux sanguins et protège la vitamine E (un antioxydant important) des dommages causés par les radicaux libres. Le calcium, le magnésium et le sélénium sont aussi indispensables au maintien d'un cœur en santé.

œufs brouillés *aux* asperges *et au* brocoli

Les légumes verts comme le brocoli et les asperges sont d'excellentes sources de fibres et de vitamine C.

■ ingrédients

- 85 g (3 oz) de petits bouquets de brocoli
- 85 g (3 oz) d'asperges, coupées en morceaux de 2,5 cm (1 po)
- 25 g (2 c. à soupe) de beurre
- 1 poireau, rincé et émincé
- 8 œufs de grosseur moyenne
- 60 ml ($^1/_4$ de tasse) de lait
- 30 ml (2 c. à soupe) de fines herbes mélangées, hachées
- Sel de mer
- Poivre noir, fraîchement moulu
- 25 g (1 oz) de parmesan frais, râpé finement
- 15 ml (1 c. à soupe) de graines de sésame rôties
- Brins de fines herbes pour garnir

pour *4 personnes*
préparation *10 minutes*
cuisson *15 minutes*

■ méthode

1 Faire cuire le brocoli et les asperges dans l'eau bouillante pendant environ 4 minutes. Égoutter et garder au chaud.

2 Faire fondre le beurre dans une poêle et ajouter le poireau. Faire cuire pendant environ 10 minutes pour l'amollir, en remuant de temps à autre.

3 Casser les œufs dans un bol et les battre légèrement avec le lait, les herbes et l'assaisonnement. Verser la préparation dans la poêle et faire cuire doucement, en remuant, jusqu'à ce que le mélange commence à épaissir.

4 Retirer la poêle du feu et continuer de remuer jusqu'à ce que la préparation devienne crémeuse.

5 Incorporer le brocoli, les asperges et le fromage.

6 Servir chaud, parsemé de graines de sésame. Garnir de brins de fines herbes.

7 Servir accompagné de tranches de pain ou de rôties de blé entier (complet).

variantes

- *Remplacer les graines de sésame par des graines de tournesol ou de céleri.*
- *Remplacer les asperges par des tranches de courgettes.*
- *Remplacer le parmesan par du cheddar.*

soupe *aux* choux *de* Bruxelles

 Une soupe succulente et faible en matières grasses, excellente pour la santé du cœur.

ingrédients

- 15 ml (1 c. à soupe) d'huile d'olive
- 6 échalotes, hachées
- 225 g (¹/2 lb) de poireaux, rincés et émincés
- 350 g (³/4 de lb) de pommes de terre, coupées en dés
- 280 g (10 oz) de choux de Bruxelles, coupés en quartiers
- 850 ml (3 ¹/2 tasses) de bouillon de légumes (voir recette à la page 20)
- Sel de mer
- Poivre noir, fraîchement moulu
- 30 ml (2 c. à soupe) persil frais, haché
- Brins de persil plat, pour garnir

pour *4 personnes*
préparation *15 minutes*
cuisson *25 à 30 minutes*

méthode

1 Faire chauffer l'huile dans une grande casserole et y cuire les échalotes 3 minutes.
2 Ajouter les poireaux, les pommes de terre et les choux de Bruxelles. Faire cuire 5 minutes, en remuant de temps à autre.
3 Incorporer le bouillon et les assaisonnements ; couvrir et porter à ébullition. Baisser le feu et laisser mijoter de 15 à 20 minutes.
4 Laisser refroidir légèrement et réduire en purée au robot culinaire. Remettre la soupe dans la casserole et réchauffer.
5 Incorporer le persil haché et garnir avec les brins de persil.
6 Servir avec du pain de blé entier (complet).

variantes

• Pour une variante épicée, ajouter 2 à 3 c. à café (à thé) de pâte de cari au bouillon.

• Remplacer les pommes de terre par des patates douces.

mode de congélation

Laisser refroidir complètement et verser dans un contenant rigide allant au congélateur. Couvrir, sceller et étiqueter. Se conserve jusqu'à 3 mois. Laisser décongeler et faire réchauffer à feu doux.

avocat farci *au* crabe

 Les avocats sont riches en gras monoinsaturés et le crabe contient du sélénium.

ingrédients

- 225 g (¹/2 lb) de chair de crabe effeuillée
- 3 oignons verts, hachés finement
- 15 ml (1 c. à soupe) d'un mélange de fines herbes, hachées
- 60 ml (¹/4 de tasse) de mayonnaise (voir recette à la page 21)
- 45 ml (3 c. à soupe) de yogourt nature
- Sel de mer
- Poivre noir, fraîchement moulu
- 2 avocats mûrs
- Jus de citron, pour badigeonner
- Paprika et quartiers de citron, pour garnir

pour *4 personnes*
préparation *15 minutes*

méthode

1 Mettre la chair de crabe, les oignons verts et les fines herbes dans un bol et mélanger.
2 Dans un autre bol, mélanger la mayonnaise et le yogourt ; incorporer le mélange au crabe. Saler et poivrer.
3 Couper les avocats en deux sur la longueur et enlever les noyaux. Disposer chaque avocat dans une assiette et badigeonner avec du jus de citron pour éviter le brunissement.
4 Déposer la préparation au crabe sur les moitiés d'avocat. Décorer avec du paprika et des quartiers de citron et servir avec des languettes légèrement beurrées de pain ou de rôties de blé entier (complet).

variantes

• Remplacer la chair de crabe par du thon ou du saumon en conserve.

• Deux boîtes de conserve de 180 g (6 oz) de chair de crabe égouttée et effeuillée peuvent remplacer la chair de crabe fraîche.

crevettes tigrées thaï *avec* salsa *à la* tomate

 Les crevettes sont une source importante de sélénium qui aide à garder le cœur en santé.

■ ingrédients

pour la salsa

- 450 g (1 lb) de tomates, pelées, épépinées et hachées finement

- 4 tomates séchées au soleil (pas en huile), mises à tremper dans de l'eau tiède, égouttées et hachées finement

- 2 échalotes, hachées finement

- 1 gousse d'ail, écrasée

- 15 ml (1 c. à soupe) d'huile d'olive

- 15 à 30 ml (1 à 2 c. à soupe) de basilic frais, haché

- Sel de mer

- Poivre noir, fraîchement moulu

pour les brochettes

- 2 à 3 c. à café (à thé) de sept-épices thaï en poudre

- 30 ml (2 c. à soupe) d'huile d'olive

- 40 crevettes crues, décortiquées

pour *4 personnes*
préparation *15 minutes, et 1 heure de macération*
cuisson *4 à 6 minutes*

■ méthode

1 Préparer la salsa en mélangeant bien dans un bol les tomates fraîches et séchées, les échalotes, l'ail, l'huile d'olive, le basilic et les assaisonnements. Couvrir et laisser reposer à la température de la pièce pendant environ 1 heure.

2 Préchauffer le gril du four à feu vif. Mélanger 30 ml (2 c. à soupe) d'huile et la poudre sept-épices thaï dans un bol. Ajouter les crevettes et bien les enrober. Embrocher sur quatre brochettes.

3 Disposer les brochettes sur une grille dans une lèchefrite. Faire griller 2 à 3 minutes en les tournant de temps à autre. Elles seront roses une fois cuites.

4 Servir les brochettes bien chaudes, accompagnées de salsa et d'une salade verte croquante.

variantes

- *Remplacer les crevettes tigrées par des pétoncles frais.*
- *Remplacer les échalotes par 4 oignons verts.*
- *Remplacer le basilic par de la coriandre ou du persil plat frais.*

darnes d'aiglefin *avec* lime fraîche *et* fines herbes

 Le poisson frais est riche en magnésium et contient des acides gras essentiels oméga-3, important pour un cœur en santé et une bonne circulation sanguine.

ingrédients

- 30 ml (2 c. à soupe) d'huile d'olive
- Le jus et le zeste finement râpé de 2 limes
- 30 ml (2 c. à soupe) de persil plat, haché
- 15 ml (1 c. à soupe) d'origan frais, haché
- Sel de mer
- Poivre noir, fraîchement moulu
- 4 darnes d'aiglefin d'environ 175 g (6 oz) chacune
- Brins de fines herbes, pour garnir

pour *4 personnes*
préparation *10 minutes, et 1 heure de macération*
cuisson *10 minutes*

méthode

1 Mettre l'huile, le zeste et le jus des limes, le persil, l'origan et les assaisonnements dans un petit bol et bien fouetter. Verser dans un plat peu profond, non métallique.

2 Ajouter les darnes et bien les enrober de marinade. Couvrir et laisser mariner dans un endroit frais pendant environ 1 heure.

3 Préchauffer le gril du four à feu modéré. Tapisser une grille avec du papier d'aluminium et y disposer les darnes. Faire griller environ 5 minutes chaque côté, jusqu'à ce que le poisson soit cuit et que la chair s'effeuille sous les dents d'une fourchette. Badigeonner souvent de marinade pendant la cuisson pour éviter que le poisson ne se dessèche.

4 Garnir de brins de fines herbes et servir chaudes, accompagnées de légumes frais cuits comme une pomme de terre, des bouquets de brocoli, du rutabaga ou une purée de panais.

variantes

- *Remplacer l'aiglefin par tout autre poisson blanc.*
- *Remplacer l'origan par de la marjolaine ou du basilic frais haché.*
- *Remplacer les limes par des citrons.*

boulettes *de* dindon *à la* sauce aigre-douce

 L'ail, qui ajoute une délicieuse saveur aux boulettes, est censé aider à réduire le risque de maladies cardio-vasculaires en abaissant le taux de cholestérol et la pression sanguine.

▌ ingrédients

pour les boulettes

- 450 g (1 lb) de chair de dindon maigre, hachée
- 4 échalotes, hachées finement
- 1 gousse d'ail, écrasée
- 115g (4 oz) de champignons, hachés finement
- 2 c. à café (à thé) d'herbes de Provence séchées
- Le zeste râpé d'un citron
- 55 g (¼ de tasse) de chapelure de pain de blé entier (complet)
- 15 ml (2 c. à soupe) de concentré de tomates séchées
- Sel de mer
- Poivre noir, fraîchement moulu
- Un peu de farine de blé entier (complète) pour saupoudrer
- 15 ml (1 c. à soupe) d'huile d'olive

pour la sauce aigre-douce

- 10 g (1 c. à soupe) de fécule de maïs
- 60 ml (¼ de tasse) de vin rouge
- 400 g (14 oz) de tomates en conserve, réduites en purée
- 150 ml (5 oz) de jus de pomme non sucré
- 30 ml (2 c. à soupe) de vinaigre de vin rouge
- 25 g (2 c. à soupe) de cassonade
- 15 ml (1 c. à soupe) de concentré de tomates séchées au soleil
- Brins de fines herbes, pour garnir

pour *4 à 6 personnes*
préparation *25 minutes, et 20 minutes de réfrigération*
cuisson *45 minutes*

▌ méthode

1 Bien mélanger tous les ingrédients pour les boulettes, sauf la farine et l'huile, dans un bol.

2 Façonner 28 petites boulettes. Saupoudrer la farine dans une assiette. Rouler chacune des boulettes dans la farine. Mettre dans une assiette, couvrir, et réfrigérer pendant 20 minutes.

3 Entre-temps, mélanger la fécule avec le vin ; verser dans une casserole avec tous les autres ingrédients pour la sauce ; mélanger. Porter à ébullition, en remuant continuellement ; baisser le feu et laisser mijoter doucement pendant que les boulettes cuisent.

4 Préchauffer le four à 180 °C (350 °F).

5 Faire chauffer l'huile dans une poêle et faire frire les boulettes à feu moyen de 5 à 10 minutes, en les tournant souvent, jusqu'à ce qu'elles soient bien dorées. Mettre les boulettes dans un grand plat peu profond, allant au four.

6 Verser la sauce sur les boulettes. Couvrir et faire cuire pendant environ 45 minutes, jusqu'à ce que les boulettes soient cuites.

7 Garnir de brins de fines herbes et servir chaudes avec une purée de pommes de terre et des légumes verts du printemps et des mini-carottes.

variantes

- *Remplacer le dindon par du poulet ou de l'agneau maigre hachés.*
- *Remplacer les échalotes par 1 petit oignon.*
- *Remplacer les champignons par des courgettes.*

sauté *de* poulet *et de* poivrons

 Les poivrons ont une teneur très élevée en vitamine C.

■ ingrédients

- 15 ml (1 c. à soupe) d'huile d'olive
- 1 grosse gousse d'ail, hachée finement
- 1 morceau de 2,5 cm (1 po) de gingembre frais, pelé et haché finement
- 350 g (³/4 de lb) de poitrine de poulet sans la peau, désossée, taillée en lanières
- 1 poivron rouge, épépiné et tranché
- 1 poivron jaune, épépiné et tranché
- 1 poivron vert, épépiné et tranché
- 1 courgette, émincée en diagonale
- 1 poireau, rincé et émincé
- 115 g (¹/4 de lb) de pois mange-tout

- 2 à 3 c. à café (à thé) d'assaisonnement cajun ou de cinq-épices chinois en poudre
- 30 ml (2 c. à soupe) de xérès sec
- 15 ml (1 c. à soupe) de sauce de soja légère
- Sel de mer
- Poivre noir, fraîchement moulu
- Graines de sésame rôties, pour garnir

pour *4 personnes*
préparation *20 minutes*
cuisson *8 à 10 minutes*

■ méthode

1 Faire chauffer l'huile dans un wok ou une grande poêle antiadhésive. Ajouter l'ail et le gingembre et faire revenir à feu vif pendant 30 secondes.

2 Ajouter le poulet et faire revenir pendant 1 à 2 minutes jusqu'à ce qu'il soit bien doré. Ajouter les poivrons, la courgette, le poireau et les pois mange-tout, et faire revenir de 2 à 3 minutes de plus.

3 Incorporer l'assaisonnement cajun ou la poudre cinq-épices, le xérès, la sauce de soja, le sel et le poivre, et faire revenir à feu vif de 3 à 4 minutes jusqu'à ce que le poulet et les légumes soient cuits et tendres.

4 Parsemer de graines de sésame pour garnir et servir chaud sur du riz ou des nouilles.

variantes

- *Remplacer le poulet par du dindon.*
- *Remplacer les pois mange-tout par des champignons tranchés.*
- *Remplacer le xérès par du jus de pomme non sucré.*

viandes *et* volailles

pâtes primavera

 Les pâtes mélangées à des légumes sont une excellente source d'antioxydants et de fibres.

▌ ingrédients

- 2 carottes, coupées en dés
- 2 courgettes, tranchées
- 225 g (¹/₂ lb) de petits bouquets de brocoli
- 115 g (¹/₄ de lb) d'asperges, coupées en morceaux de 2,5 cm (1 po)
- 175 g (6 oz) de pois surgelés
- 6 à 8 oignons verts, hachés
- 1 gousse d'ail, écrasée
- 400 g (14 oz) de tomates en conserve, hachées
- 150 ml (5 oz) de bouillon de légumes (voir recette à la page 20)
- Sel de mer
- Poivre noir, fraîchement moulu
- 15 ml (1 c. à soupe) de persil frais, haché
- 15 ml (1 c. à soupe) de basilic frais, haché
- 350 g (³/₄ de lb) de pâtes alimentaires en spirales
- Parmesan finement râpé pour garnir

pour *4 personnes*
préparation *15 minutes*
cuisson *25 minutes*

▌ méthode

1 Mettre les carottes, les courgettes, le brocoli, les asperges, les pois, les oignons verts, l'ail, les tomates, le bouillon et les assaisonnements dans une casserole et porter à ébullition, en remuant de temps à autre.

2 Baisser le feu, couvrir et laisser mijoter pendant 10 minutes, en remuant de temps à autre. Retirer le couvercle, augmenter le feu légèrement et laisser cuire pendant 5 à 10 minutes de plus jusqu'à ce que les légumes soient tendres, en remuant de temps à autre. Incorporer les herbes au mélange de légumes.

3 Entre-temps, faire cuire les pâtes dans une grande casserole d'eau bouillante légèrement salée de 8 à 10 minutes jusqu'à ce qu'elles soient *al dente*. Égoutter soigneusement.

4 Répartir les pâtes dans quatre assiettes de service et napper de la sauce aux légumes. Servir bien chaudes, saupoudrées de parmesan.

5 Accompagner de pain croûté ou mollet de blé entier (complet).

variantes

- *Remplacer les asperges par des champignons.*
- *Remplacer les carottes par 175 g (6 oz) de rutabaga ou navet en dés.*

mode de congélation

La sauce aux légumes peut être congelée. Laisser refroidir complètement avant de la mettre dans un contenant rigide pouvant aller au congélateur. Couvrir, sceller et étiqueter. Se conserve jusqu'à 3 mois. Laisser décongeler et réchauffer à feu doux dans une casserole jusqu'à ce qu'elle soit très chaude. Servir sur des pâtes fraîchement cuites.

légumes

légumes-racines épicés

 Les patates douces sont une excellente source de bêta-carotène, un important antioxydant.

ingrédients

- 1 kg (2 lb ^{1}/$_4$) d'un mélange de légumes-racines tels pommes de terre, patates douces, panais, navet et céleri-rave, coupés en dés
- 45 ml (3 c. à soupe) d'huile d'olive
- 1 grosse gousse d'ail, écrasée
- 1 c. à café (à thé) chacun de piment rouge en poudre, de cumin moulu et de coriandre moulue
- 30 ml (2 c. à soupe) de graines de tournesol et de citrouille (facultatif)
- Sel de mer
- Poivre noir, fraîchement moulu
- 30 ml (2 c. à soupe) de coriandre fraîche, hachée

pour *4 personnes*
préparation *15 minutes*
cuisson *15à 20 minutes*

méthode

1 Faire cuire à demi les légumes-racines dans l'eau bouillante, de 5 à 7 minutes. Bien égoutter.

2 Faire chauffer l'huile dans une grande poêle antiadhésive. Ajouter l'ail et les épices moulues et cuire pendant 30 secondes, en remuant.

3 Ajouter les légumes-racines et bien les enrober du mélange d'huile et d'épices ; faire cuire à feu moyen de 10 à 15 minutes, en remuant souvent, jusqu'à ce que les légumes soient cuits, tendres et légèrement dorés.

4 Ajouter les graines de tournesol ou de citrouille, si désiré, et faire cuire de 1 à 2 minutes. Saler et poivrer au goût et incorporer la coriandre.

5 Servir bien chaud avec un poisson ou une viande grillés et des légumes frais cuits comme du chou et des haricots.

variantes

• *Remplacer les graines de tournesol ou de citrouille par des graines de sésame.*

• *Remplacer la coriandre par du persil plat haché.*

pizza *à* l'oignon *et au* poivron

 Les oignons contribuent à réduire le taux de cholestérol sanguin et la pression sanguine.

ingrédients

pour la garniture

- 15 ml (1 c. à soupe) d'huile d'olive
- 2 oignons moyens, tranchés
- 2 poivrons rouges, épépinés et tranchés
- 175 g (6 oz) de champignons portobello, tranchés
- 225 g (8 oz) de tomates en conserve, égouttées et hachées
- 30 ml (2 c. à soupe) de concentré de tomate
- 30 ml (2 c. à soupe) de fines herbes, hachées
- Sel de mer
- Poivre noir, fraîchement moulu
- 140 g (5 oz) de cheddar râpé

pour la pâte à pizza

- 225 g (2 tasses) de farine de blé entier (complète)
- Pincée de sel
- 2 c. à café (à thé) de poudre levante
- 55 g (^{1}/$_4$ de tasse) de beurre
- 100 ml (3 ^{1}/$_2$ oz) de lait

pour *4 à 6 personnes*
préparation *25 minutes*
cuisson *25 à 30 minutes*

méthode

1 Préchauffer le four à 215 °C (425 °F). Tapisser une plaque à pâtisserie de papier parchemin.

2 Faire chauffer l'huile dans une casserole. Ajouter les oignons, les poivrons rouges et les champignons ; couvrir et faire cuire à feu doux 10 minutes.

3 Mettre la farine, le sel et la poudre levante dans un bol et couper le beurre dans le mélange jusqu'à la formation d'une texture semblable à de la chapelure. Ajouter assez de lait pour faire une pâte souple.

4 Abaisser la pâte sur une surface légèrement enfarinée jusqu'à l'obtention d'un rond de 25 cm (10 po) de diamètre. Déposer la pâte sur la plaque à pâtisserie.

5 Mélanger les tomates et le concentré de tomate et étaler également sur la pâte. Parsemer d'herbes et d'assaisonnements.

6 Ajouter la préparation à l'oignon et parsemer de fromage.

7 Faire cuire de 25 à 30 minutes.

8 Servir chaude ou froide, en pointes.

variantes

• *Remplacer les oignons par 8 échalotes.*

• *Remplacer les champignons par des tranches de courgette.*

légumes

bananes *au* four *à la* cannelle

 Les bananes sont riches en potassium, un élément important pour maintenir une bonne pression sanguine.

▌ ingrédients

- 60 ml (¹/4 de tasse) de jus d'orange non sucré
- 60 ml (¹/4 de tasse) de miel
- 30 ml (2 c. à soupe) de rhum
- 4 bananes mûres et fermes
- 2 bâtons de cannelle, cassés en deux

pour *4 personnes*
préparation *10 minutes*
cuisson *30 minutes*

▌ méthode

1 Préchauffer le four à 180 °C (350 °F).

2 Bien mélanger le jus d'orange, le miel et le rhum dans un petit bol.

3 Peler les bananes et les couper sur la longueur. Déposer les bananes dans un plat peu profond allant au four. Ajouter la cannelle.

4 Verser sur les bananes la préparation au jus d'orange et les retourner.

5 Couvrir de papier d'aluminium et faire cuire environ 30 minutes, jusqu'à ce que les bananes aient ramolli.

6 Enlever et jeter les bâtons de cannelle. Servir les bananes dans des assiettes de service chauffées; napper de la sauce.

7 Ajouter une cuillerée de crème fraîche, de crème sûre (aigre) légère ou de yogourt, ou une boule de yogourt glacé maison.

variantes

- *Pour des bananes épicées, omettre la cannelle et ajouter 2 c. à café (à thé) d'un mélange d'épices moulues au jus d'orange avant la cuisson.*
- *Remplacer les bananes par des pêches ou des nectarines fraîches.*
- *Remplacer le miel par du sirop d'érable.*
- *Remplacer le rhum par du brandy.*
- *Pour un apport supplémentaire de sélénium et d'acides gras essentiels, parsemer les bananes de germe de blé et de graines de lin bruts.*

desserts

brochettes *de* fruits *à la* sauce *au* citron

 Les kiwis et les fraises sont une bonne source de vitamine C qui aide à l'absorption du fer et au maintien de vaisseaux sanguins en santé.

▌ ingrédients

- 450 g (1 lb) de fraises
- 6 kiwis, pelés et coupés en 8 quartiers

pour la sauce au citron

- 2 c. à café (à thé) d'arrow-root
- Le jus et le este finement râpé de 2 citrons
- 60 ml (1/4 de tasse) de miel
- Brins de menthe fraîche, pour garnir

pour *4 personnes*
préparation *10 minutes*
cuisson *10 minutes*

▌ méthode

1 Embrocher les fraises et les quartiers de kiwi sur 4 longues brochettes ou 8 courtes, en répartissant les fruits également. Déposer sur quatre assiettes de service et réserver.

2 Mélanger l'arrow-root à 45 ml (3 c. à soupe) d'eau et mettre dans une casserole avec le zeste et le jus des citrons, et le miel.

3 Porter à ébullition à feu doux, en remuant jusqu'à ce que le mélange épaississe.

4 Napper les brochettes de fruits de la sauce au citron ou servir à côté. Décorer de brins de menthe fraîche.

5 Servir avec du yogourt maison aux fruits pour une gâterie toute spéciale.

variantes

- *La sauce au citron peut être servie chaude ou froide.*
- *Remplacer les fraises et les kiwis par d'autres fruits tels papaye, raisin, mangue, ananas, nectarines ou pommes.*
- *Remplacer le jus de citron par du jus de lime.*

desserts

un cœur solide

Contrôlez votre taux de cholestérol et stimulez votre cœur et votre circulation sanguine avec le choix suivant de recettes qui regorgent de vitamine E, des acides gras essentiels oméga-3 et oméga-6, de vitamine C et de potassium, des éléments indispensables au cœur.

avocat farci *au* crabe

Les avocats sont riches en gras monoinsaturés qui aident à maintenir un faible taux de cholestérol. Le crabe contient du sélénium, un important antioxydant.

■ ingrédients

- 225 g (1/2 lb) de chair de crabe effeuillée
- 3 oignons verts, hachés finement
- 15 ml (1 c. à soupe) d'un mélange de fines herbes, hachées
- 60 ml (1/4 de tasse) de mayonnaise (voir recette à la page 21)
- 45 ml (3 c. à soupe) de yogourt nature
- Sel de mer
- Poivre noir, fraîchement moulu
- 2 avocats mûrs
- Jus de citron, pour badigeonner
- Paprika et quartiers de citron, pour garnir

pour *4 personnes*
préparation *15 minutes*

■ méthode

1 Mettre la chair de crabe, les oignons verts et les fines herbes dans un bol et mélanger.
2 Dans un autre bol, mélanger la mayonnaise et le yogourt; incorporer le mélange au crabe. Saler et poivrer.
3 Couper les avocats en deux sur la longueur et enlever les noyaux. Disposer chaque avocat dans une assiette et badigeonner avec du jus de citron pour éviter le brunissement.
4 Déposer la préparation au crabe sur les moitiés d'avocat. Décorer avec du paprika et des quartiers de citron et servir avec des languettes légèrement beurrées de pain ou de rôties de blé entier (complet).

sauté *de* poulet *et de* poivrons

Les poivrons ont une teneur très élevée en vitamine C.

ingrédients

- 15 ml (1 c. à soupe) d'huile d'olive
- 1 grosse gousse d'ail, hachée finement
- 1 morceau de 2,5 cm (1 po) de gingembre frais, pelé et haché finement
- 350 g (³/4 de lb) de poitrine de poulet sans la peau, désossée, taillée en lanières
- 1 poivron rouge, épépiné et tranché
- 1 poivron jaune, épépiné et tranché
- 1 poivron vert, épépiné et tranché
- 1 courgette, émincée en diagonale
- 1 poireau, rincé et émincé
- 115 g (¹/4 de lb) de pois mange-tout
- 2 à 3 c. à café (à thé) d'assaisonnement cajun ou de cinq-épices chinois en poudre
- 30 ml (2 c. à soupe) de xérès sec
- 15 ml (1 c. à soupe) de sauce de soja légère
- Sel de mer et poivre noir, fraîchement moulu
- Graines de sésame rôties

pour *4 personnes*
préparation *20 minutes*
cuisson *8 à 10 minutes*

méthode

1 Faire chauffer l'huile dans un wok ou une grande poêle antiadhésive. Ajouter l'ail et le gingembre et faire revenir à feu vif pendant 30 secondes.
2 Ajouter le poulet et faire revenir pendant 1 à 2 minutes jusqu'à ce qu'il soit bien doré. Ajouter les poivrons, la courgette, le poireau et les pois mange-tout, et faire revenir de 2 à 3 minutes de plus.
3 Incorporer l'assaisonnement cajun ou la poudre cinq-épices, le xérès, la sauce de soja, le sel et le poivre, et faire revenir à feu vif de 3 à 4 minutes jusqu'à ce que le poulet et les légumes soient cuits et tendres.
4 Parsemer de graines de sésame pour garnir et servir chaud sur du riz ou des nouilles.

bananes *au* four *à la* cannelle

Les bananes sont riches en potassium, un élément important pour maintenir une bonne pression sanguine.

ingrédients

- 60 ml (¹/4 de tasse) de jus d'orange non sucré
- 60 ml (¹/4 de tasse) de miel
- 30 ml (2 c. à soupe) de rhum
- 4 bananes mûres et fermes
- 2 bâtons de cannelle, cassés en deux

pour *4 personnes*
préparation *10 minutes*
cuisson *30 minutes*

méthode

1 Préchauffer le four à 180 °C (350 °F).
2 Bien mélanger le jus d'orange, le miel et le rhum dans un petit bol.
3 Peler les bananes et les couper sur la longueur. Déposer les bananes dans un plat peu profond allant au four. Ajouter la cannelle.
4 Verser sur les bananes la préparation au jus d'orange et les retourner.
5 Couvrir de papier d'aluminium et faire cuire environ 30 minutes, jusqu'à ce que les bananes aient ramolli.
6 Enlever et jeter les bâtons de cannelle. Servir les bananes dans des assiettes de service chauffées; napper de la sauce.
7 Ajouter une cuillerée de crème fraîche, de crème sûre (aigre) légère ou de yogourt, ou une boule de yogourt glacé maison.

les aliments *pour les* dents *et les* os

Le calcium est une composante vitale des os et des dents. Les meilleures sources alimentaires sont les produits laitiers, le poisson en conserve (avec les os) et certains légumes-feuilles vert foncé. La vitamine D, que l'on trouve dans les poissons gras, favorise l'absorption du calcium. Le magnésium est aussi essentiel à la santé des os et des dents. Le bêta-carotène, que le corps transforme en vitamine A, se trouve dans les légumes-feuilles vert foncé, les carottes et les fruits jaunes et orange.

mini-légumes *au* four

 La garniture de fromage râpé ajoute du calcium pour aider au maintien d'une ossature et de dents saines.

▌ ingrédients

- 280 g (10 oz) chacun de mini-courgettes et de mini-aubergines
- 225 g (¹/2 lb) de mini-épis de maïs
- 225 g (¹/2 lb) d'oignons perlés ou d'échalotes, coupés en deux
- 225 g (¹/2 lb) de champignons
- 2 gousses d'ail, émincées
- 30 ml (2 c. à soupe) d'huile d'olive
- 250 g (9 oz) de tomates cerises
- 15 ml (1 c. à soupe) chacun de thym et de persil frais
- Sel de mer et poivre noir
- 45 à 60 ml (3 à 4 c. à soupe) de vinaigrette française (voir recette à la page 21)
- Cheddar râpé, pour garnir

pour *4 personnes*
préparation *10 minutes*
cuisson *30 minutes*

▌ méthode

1 Préchauffer le four à 215 °C (425 °F).

2 Mettre les courgettes, les aubergines, les épis de maïs, les oignons ou échalotes, les champignons et l'ail dans une grande lèchefrite. Ajouter l'huile et bien enrober les légumes.

3 Faire cuire pendant 20 minutes, en remuant une ou deux fois.

4 Incorporer les tomates, les herbes et l'assaisonnement. Faire cuire pendant 5 à 10 minutes de plus, jusqu'à ce que les légumes soient cuits et que leur pourtour commence à dorer.

5 Arroser les légumes cuits de la vinaigrette française et garnir de cheddar râpé.

variantes

• *Parsemer de cheddar ou de mozzarella râpés et faire griller sous un gril chaud jusqu'à ce qu's soient fondus.*

• *Remplacer le thym par de la marjolaine ou du basilic frais haché.*

soupes *et* entrées

cocktail *de* melon *et de* kiwis

 Le kiwi est une bonne source de vitamine C et de potassium, essentiels pour les os.

ingrédients

- 1 melon moyen à chair jaune ou orange
- 4 kiwis
- 150 ml (5 oz) de jus de pomme ou de raisin non sucré
- 15 à 30 ml (1 à 2 c. à soupe) de liqueur de fruit ou de brandy
- Brins de menthe fraîche, pour garnir

pour *4 personnes*
préparation *10 minutes, et 1 heure de macération*

méthode

1 Couper le melon en deux; enlever et jeter les graines. Peler le melon et hacher la chair en petites bouchées. Mettre dans un bol.

2 Peler les kiwis et couper la chair en dés. Ajouter au melon et remuer.

3 Mélanger le jus de pomme ou de raisin et la liqueur ou le brandy. Verser sur les fruits et mélanger. Couvrir et réserver pendant environ 1 heure pour permettre aux saveurs de s'amalgamer.

4 Répartir les fruits entre quatre assiettes de service et garnir de brins de menthe fraîche.

variantes

- *Utiliser une cuiller parisienne pour faire des boules au lieu des cubes.*
- *Remplacer le melon par de l'ananas.*
- *Remplacer les kiwis par 225 g (¹/2 lb) de fraises coupées en deux.*

soufflé chaud *aux* épinards

 Les épinards sont une bonne source de magnésium, de bêta-carotène et d'acide folique.

ingrédients

- 15 ml (1 c. à soupe) de parmesan finement râpé
- 450 g (1 lb) de feuilles d'épinard, rincées et hachées grossièrement
- 25 g (2 c. à soupe) de beurre
- 25 g (3 c. à soupe) de farine de blé entier (complète)
- 250 ml (9 oz) de lait
- 4 œufs moyens, les jaunes et les blancs séparés, et un blanc d'œuf supplémentaire
- 115 g (¹/4 de lb) de cheddar râpé
- Une pincée de poivre de cayenne
- Sel de mer
- Poivre noir, fraîchement moulu

pour *4 à 6 personnes*
préparation *20 minutes*
cuisson *30 à 45 minutes*

méthode

1 Préchauffer le four à 190 °C (375 °F).

2 Graisser légèrement un plat à soufflé de 1,7 litre (7 tasses) et le saupoudrer de parmesan. Réserver.

3 Faire cuire les épinards dans un peu d'eau jusqu'à ce qu'ils soient tout juste cuits. Égoutter soigneusement et hacher finement.

4 Mettre le beurre, la farine et le lait dans une casserole et faire chauffer à feu doux, en fouettant jusqu'à ce que la sauce bouillonne et épaississe. Laisser mijoter pendant 2 minutes, en remuant.

5 Incorporer les épinards.

6 Incorporer graduellement, en fouettant, les jaunes d'œufs et 180 g (6 oz) de cheddar. Ajouter le poivre de cayenne et les assaisonnements.

7 Fouetter les blancs d'œufs jusqu'à la formation de pics; incorporer à la préparation aux épinards.

8 Verser dans le plat à soufflé et saupoudrer du reste de cheddar. Faire cuire sur une plaque de four de 30 à 45 minutes jusqu'à ce que le soufflé soit bien gonflé, doré et pris.

9 Servir avec un mesclun et du pain de blé entier (complet).

maquereau grillé *au* romarin

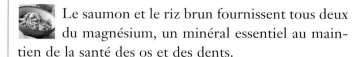

La vitamine D que contiennent plusieurs poissons gras aide l'absorption du calcium par l'organisme.

ingrédients

- 4 maquereaux frais d'environ 280 à 350 g (10 à 12 oz) chacun, parés
- Le jus de 2 citrons
- 30 ml (2 c. à soupe) d'huile d'olive
- 30 ml (2 c. à soupe) de romarin, haché
- Sel de mer
- Poivre noir, fraîchement moulu
- Brins de romarin frais, pour garnir

pour *4 personnes*
préparation *5 minutes, et 1 à 2 heures de macération*
cuisson *10 à 12 minutes*

méthode

1 Faire deux ou trois entailles sur les côtés des poissons. Les déposer dans un plat non métallique peu profond.

2 Fouetter le jus de citron, l'huile, le romarin et les assaisonnements dans un petit bol. Verser sur les poissons et les retourner pour bien les enrober. Couvrir et réfrigérer de 1 à 2 heures.

3 Faire chauffer le barbecue ou le gril du four à feu modéré. Faire cuire les maquereaux sur une grille 10 à 12 minutes, jusqu'à ce que la chair s'effeuille sous les dents d'une fourchette. Retourner les poissons pendant la cuisson et les badigeonner de marinade pour éviter qu'ils ne se dessèchent.

4 Garnir de brins de romarin et servir avec une pomme de terre au four et une salade de chou maison.

variantes

• *Remplacer le jus de citron par du jus de lime ou d'orange.*

• *Remplacer le romarin par du thym frais.*

risotto *au* saumon *et aux* asperges

Le saumon et le riz brun fournissent tous deux du magnésium, un minéral essentiel au maintien de la santé des os et des dents.

ingrédients

- 15 ml (1 c. à soupe) d'huile d'olive
- 1 oignon, haché
- 2 gousses d'ail, hachées finement
- 225 g (^{1}/$_2$ lb) de champignons, tranchés
- 225 g (^{1}/$_2$ lb) de riz brun
- 300 ml (10 oz) de vin blanc sec
- 425 ml (14 oz) de bouillon de légumes ou de poisson bouillant (voir recette à la page 20)
- 280 g (10 oz) d'asperges fraîches, coupées en morceaux de 2,5 cm (1 po)
- 400 g (14 oz) de saumon en conserve dans l'eau, égoutté et effeuillé
- 30 ml (2 c. à soupe) d'estragon frais, haché
- Sel de mer
- Poivre noir, fraîchement moulu

pour *4 personnes*
préparation *15 minutes*
cuisson *40 minutes*

méthode

1 Faire chauffer l'huile dans une casserole. Ajouter l'oignon et l'ail. Faire cuire 5 minutes, en remuant de temps à autre.

2 Ajouter les champignons et le riz. Faire cuire 1 minute, en remuant.

3 Ajouter le vin et un peu de bouillon. Porter à ébullition, baisser le feu et laisser mijoter, sans couvercle, jusqu'à ce que le liquide soit presque tout absorbé.

4 Continuer d'ajouter du bouillon bouillant jusqu'à ce que le riz soit cuit et crémeux.

5 Entre-temps, faire cuire les asperges à la vapeur au-dessus d'une casserole d'eau bouillante de 8 à 10 minutes, jusqu'à ce qu'elles soient tendres. Égoutter et garder au chaud.

6 Incorporer les asperges, le saumon et l'estragon au risotto. Assaisonner au goût et laisser cuire à feu doux jusqu'à ce que le saumon soit chaud.

7 Servir avec une salade mélangée de tomates et de poivrons.

variantes

• *Remplacer le saumon par du thon en conserve.*

• *Remplacer l'estragon par de la coriandre.*

• *Remplacer les champignons par des courgettes.*

poissons *et* fruits de mer

pilaf *à* l'agneau *et aux* abricots

 L'agneau, le riz et les noix de cajou fournissent du magnésium, et les fruits séchés tels que les abricots contiennent du bore, des éléments essentiels pour les os et les dents.

ingrédients

- 15 ml (1 c. à soupe) d'huile d'olive
- 350 g (³/₄ de lb) d'agneau maigre, coupé en cubes de 2,5 cm (1 po)
- 1 oignon, haché
- 1 poivron rouge, épépiné et coupé en dés
- 1 gousse d'ail, écrasée
- 1 morceau de gingembre de 2,5 cm (1 po), pelé et haché finement
- 2 c. à café (à thé) de cumin moulu
- 1 c. à café (à thé) de coriandre moulue
- 225 g (1 tasse) de riz brun à grain long
- 450 ml (2 tasses) de bouillon de légumes (voir recette à la page 20)
- 150 ml (¹/₂ tasse) de vin rouge
- Sel de mer
- Poivre noir, fraîchement moulu
- 115 g (¹/₄ de lb) d'abricots séchés, hachés
- 55 à 85 g (2 à 3 oz) de noix de cajou non salées
- Brins de coriandre fraîche, pour garnir

pour *4 personnes*
préparation *15 minutes*
cuisson *40 à 45 minutes*

méthode

1 Faire chauffer l'huile dans une grande poêle. Ajouter l'agneau et faire dorer de tous les côtés, puis le retirer à l'aide d'une cuiller à égoutter, réserver au chaud.

2 Ajouter l'oignon, le poivron, l'ail et le gingembre à la poêle. Faire cuire 3 minutes, en remuant de temps à autre.

3 Ajouter les épices moulues. Faire cuire 1 minute, en remuant.

4 Remettre l'agneau dans la poêle ; ajouter le riz, le bouillon, le vin et les assaisonnements ; remuer. Couvrir et porter à ébullition ; baisser le feu et laisser mijoter 15 minutes, en remuant de temps à autre.

5 Incorporer les abricots. Ramener au point d'ébullition, couvrir et laisser mijoter de 15 à 20 minutes de plus, jusqu'à ce que l'agneau soit cuit et tout le liquide absorbé.

6 Incorporer les noix de cajou et mettre dans un plat de service réchauffé. Garnir de brins de coriandre.

7 Servir avec des légumes frais, cuits, comme des épinards et des haricots verts.

variantes

- *Remplacer les abricots par de gros raisins.*
- *Remplacer les noix de cajou par des amandes entières.*

mode de congélation

Laisser le pilaf refroidir complètement avant de le transvider dans un contenant rigide allant au congélateur. Couvrir, sceller et étiqueter. Se conserve jusqu'à 3 mois. Laisser décongeler complètement et réchauffer à feu doux dans une casserole jusqu'à ce qu'il soit brûlant, en ajoutant un peu de bouillon au besoin.

viandes *et* volailles

foies *de* poulet poêlés *aux* champignons *et à la* sauge

 Le foie contient bon nombre de nutriments, dont de la vitamine A, importante pour la santé des os et des dents.

■ ingrédients

- 15 g (1 c. à soupe) de beurre
- 15 ml (1 c. à soupe) d'huile d'olive
- 1 oignon, tranché
- 450 g (1 lb) de foies de poulet, coupés en fines lanières
- 225 g (1/2 lb) de petits champignons blancs
- 90 ml (1/3 de tasse) de porto ou de vin rouge
- 15 ml (1 c. à soupe) de sauge fraîche, hachée
- Sel de mer
- Poivre noir, fraîchement moulu
- Feuilles de sauge fraîche, pour garnir

pour *4 à 6 personnes*
préparation *10 à 15 minutes*
cuisson *8 à 10 minutes*

■ méthode

1 Faire fondre le beurre avec l'huile dans une grande poêle antiadhésive. Ajouter l'oignon et faire cuire à feu doux environ 10 minutes, en remuant de temps à autre, jusqu'à ce que l'oignon ait ramolli.

2 Ajouter le foie, les champignons et le porto ou le vin. Faire cuire à feu moyen à doux pendant environ 10 minutes, jusqu'à ce que le foie soit cuit, en remuant de temps à autre.

3 Incorporer la sauge hachée et assaisonner au goût.

4 Garnir de feuilles de sauge fraîches.

5 Servir avec du riz brun et des légumes cuits tels pois et carottes.

variantes

- *Remplacer le porto ou le vin rouge par du xérès ou du brandy.*
- *Remplacer la sauge par du thym frais.*

casserole *de* poulet *de* grain *et* d'orge

 Les grains entiers comme l'orge contiennent du magnésium qui aide à renforcer les os et les dents.

■ ingrédients

- 15 ml (1 c. à soupe) d'huile d'olive
- 4 poitrines de poulet désossées
- 350 g (3/4 de lb) d'oignons perlés, pelés
- 2 poireaux, rincés et tranchés
- 225 g (1/2 lb) de mini-carottes
- 225 g (1/2 lb) de petits champignons blancs
- 225 g (1/2 lb) de céleri-rave, coupé en dés
- 55 g (2 oz) d'orge perlé
- 400 g (14 oz) de tomates en conserve, hachées
- 30 ml (2 c. à soupe) de concentré de tomate
- 425 ml (14 oz) de bouillon de poulet (voir recette à la page 20)
- 300 ml (10 oz) de vin blanc sec
- 1 bouquet garni
- Sel de mer
- Poivre noir, fraîchement moulu
- Brins de fines herbes, pour garnir

pour *4 personnes*
préparation *15 minutes*
cuisson *1 1/2 heure*

■ méthode

1 Préchauffer le four à 180 °C (350 °F).

2 Faire chauffer l'huile dans une grande marmite à l'épreuve du feu et allant au four. Faire dorer le poulet.

3 Ajouter le reste des ingrédients. Porter à ébullition, couvrir et faire cuire pendant 1 1/2 heure. Retirer le bouquet garni.

4 Garnir de brins de fines herbes.

5 Servir chaud avec des pommes de terre et des bouquets de brocoli ou de chou-fleur.

variantes

- *Remplacer le poulet par du dindon.*
- *Remplacer le céleri-rave par du rutabaga.*
- *Remplacer l'orge perlé par des pois cassés.*

mode de congélation

Laisser le plat refroidir complètement avant de le transvider dans un contenant rigide allant au congélateur. Couvrir, sceller et étiqueter. Se conserve jusqu'à 3 mois. Laisser décongeler complètement et réchauffer au four à température moyenne.

brochettes *de* tofu *et de* légumes

Pour obtenir un maximum de calcium, optez pour du tofu fait de chlorure de calcium.

■ ingrédients

- 45 ml (3 c. à soupe) d'huile d'olive
- Le zeste finement râpé et le jus de 1 citron
- 1 gousse d'ail, écrasée
- 1 c. à café (à thé) chacun de cumin moulu et de poudre de piment rouge
- 15 ml (1 c. à soupe) de fines herbes mélangées, hachées
- Sel de mer
- Poivre noir, fraîchement moulu
- 280 g (10 oz) de tofu, coupé en petits cubes
- 4 échalotes, coupées en 2
- 1 poivron rouge, épépiné et coupé en 8 morceaux
- 1 courgette, coupée en 16 tranches fines
- 16 petits champignons blancs
- 16 tomates cerises

pour *4 personnes (deux brochettes par portion)*
préparation *10 minutes, et 30 minutes de macération*
cuisson *8 minutes*

■ méthode

1 Fouetter l'huile d'olive, le zeste et le jus de citron, l'ail, les épices, les herbes et les assaisonnements dans un bol.

2 Mettre le tofu dans un plat non métallique peu profond, verser le mélange d'huile sur le tofu et bien l'enrober. Couvrir et laisser mariner pendant 30 minutes.

3 Préchauffer le gril du four à feu vif. Répartir le tofu et les légumes également sur quatre longues brochettes ou huit courtes.

4 Faire griller les brochettes sur une grille de 3 à 4 minutes de chaque côté, en tournant fréquemment. Badigeonner souvent avec la marinade.

5 Servir les brochettes chaudes sur un lit de riz brun et un mesclun.

variantes

• Pour faire un sauté de tofu et de légumes, faire mariner le tofu tel qu'il est indiqué. Faire chauffer un peu d'huile d'olive dans un wok ou une poêle antiadhésive. Ajouter le tofu et les légumes et faire revenir à feu vif de 6 à 8 minutes. Ajouter la marinade et faire revenir pendant 2 minutes; servir aussitôt.

couscous *de* légumes épicé

Les légumes-feuilles verts comme le brocoli contiennent du calcium et du magnésium.

■ ingrédients

- 30 ml (2 c. à soupe) d'huile d'olive
- 1 gros oignon, tranché
- 2 gousses d'ail, hachées finement
- 2 courgettes, tranchées
- 175 g (6 oz) de bouquets de brocoli
- 225 g (1/2 lb) de champignons, tranchés
- 2 carottes, émincées
- 1 poivron rouge, épépiné et tranché
- 15 ml (1 c. à soupe) d'épices mélangées, moulues comme la coriandre, le cumin, le chili et du piment de Jamaïque
- 600 ml (2 1/3 tasses) de bouillon de légumes (voir recette à la page 20)
- Sel de mer
- Poivre noir, fraîchement moulu
- 225 g (1/2 lb) de pois surgelés
- 25 à 30 g (2 à 3 c. à soupe) de fécule de maïs
- 350 g (3/4 de lb) de couscous à cuisson rapide
- Brins de fines herbes, pour garnir

pour *4 à 6 personnes*
préparation *15 minutes*
cuisson *25 à 30 minutes*

■ méthode

1 Faire chauffer 15 ml (1 c. à soupe) d'huile dans une casserole. Ajouter tous les légumes frais et faire cuire à feu doux 5 minutes.

2 Ajouter les épices et faire cuire 1 minute, en remuant.

3 Ajouter le bouillon, l'assaisonnement et les pois; remuer.

4 Mélanger la fécule de maïs et 60 à 75 ml (4 à 5 c. à soupe) d'eau et incorporer à la préparation de légumes. Porter à ébullition, en remuant continuellement, jusqu'à ce que le mélange ait épaissi légèrement.

5 Baisser le feu, couvrir et laisser mijoter de 15 à 20 minutes, jusqu'à ce que les légumes soient tendres.

6 Faire tremper le couscous selon le mode d'emploi.

7 Incorporer le reste de l'huile au couscous et le répartir dans des assiettes chaudes. Déposer à la cuiller le mélange de légumes épicé. Garnir de brins de fines herbes fraîches.

variantes

• Faire votre propre mélange de légumes frais et surgelés.

• Servir la sauce sur du riz brun ou des pâtes au lieu du couscous.

légumes

salade *de* fruits parfumés

 Les fruits contiennent de la vitamine C, des fibres alimentaires et autres antioxydants essentiels à la santé.

■ ingrédients

- 1 petit ananas
- 1 mangue mûre
- 1 carambole
- 3 kiwis
- 200 ml (7 oz) de jus de pomme non sucré
- 200 ml (7 oz) de jus d'orange non sucré
- 30 ml (2 c. à soupe) de xérès
- 30 ml (2 c. à soupe) de miel (facultatif)
- Brins de menthe fraîche, pour garnir

Pour *4 à 6 personnes*
préparation *15 minutes, et 1 heure de macération*

■ méthode

1 Peler, parer et hacher l'ananas. Peler, dénoyauter et hacher la mangue. Mettre dans un bol.

2 Trancher la carambole et peler et trancher les kiwis. Ajouter au bol et remuer.

3 Mélanger les jus de fruits, le xérès et le miel, si désiré. Verser sur les fruits et remuer doucement.

4 Couvrir et laisser reposer à la température de la pièce pendant 1 heure avant de servir pour laisser les saveurs se fondre.

5 Déposer à la cuiller dans des bols et garnir de brins de menthe fraîche.

6 Servir avec du yogourt glacé ou du yogourt, maison.

variantes

• *Faire un autre mélange de fruits à partir de pommes, de poires, de cerises, de pêches et d'abricots.*

• *Remplacer le jus de pomme ou d'orange par du jus de raisin ou d'ananas non sucré.*

• *Pour plus de calcium, couronner d'une cuillerée de graines de sésame.*

desserts

muffins fruités

Les framboises regorgent de vitamine C, essentielle à la santé des gencives et des dents.

■ ingrédients

- 200 g (2 tasses) de farine de blé entier (complète)
- 15 g (1 c. à soupe) de poudre levante
- 1 pincée de sel
- 115 g (1/4 de lb) de petites framboises fraîches
- 55 g (1/4 de tasse) de beurre fondu
- 50 g (1/4 de tasse) de cassonade pâle
- 1 œuf moyen, battu
- 200 ml (7 oz) de lait

donne *9 muffins*
préparation *20 minutes*
cuisson *15 à 20 minutes*

■ méthode

1 Préchauffer le four à 200 °C (400 °F). Tapisser un moule à muffins de neuf moules en papier.

2 Mettre la farine, la poudre levante et le sel dans un grand bol. Incorporer les framboises.

3 Mélanger le beurre fondu, la cassonade, l'œuf et le lait dans un autre bol ; verser sur le mélange de farine.

4 Mélanger doucement les ingrédients et remplir à la cuiller les moules de papier aux 2/3.

5 Faire cuire de 15 à 20 minutes jusqu'à ce que les muffins soient dorés.

6 Démouler et laisser refroidir sur une grille. Servir tels quels ou coupés en deux avec un peu de beurre, des confitures, du miel ou une crème de fruits.

variantes

• *Remplacer les framboises par d'autres fruits frais ou séchés.*

• *Ajouter le zeste finement râpé d'un citron ou d'une orange, ou 1 à 2 c. à café (à thé) d'épices mélangées, de cannelle ou de gingembre moulus à la pâte à muffins avant la cuisson.*

yogourt glacé *aux* fraises

Le yogourt est une bonne source de calcium, essentiel pour des os et des dents en santé.

■ ingrédients

- 450 g (1 lb) de fraises
- 50 g (1/4 de tasse) de cassonade
- 300 ml (10 oz) de yogourt nature
- 300 ml (10 oz) de yogourt aux fraises
- Brins de menthe fraîche, pour garnir

pour *6 personnes*
préparation *10 minutes, et le temps de congélation*

■ méthode

1 Mettre les fraises dans un robot culinaire et réduire en purée. Ajouter la cassonade et les yogourts. Bien mélanger.

2 Verser le mélange dans un contenant de plastique peu profond, refroidi. Couvrir et mettre au congélateur de 1 1/2 à 2 heures, ou jusqu'à ce que le mélange ait une consistance épaissie. Déposer à la cuiller dans un bol et piler à l'aide d'une fourchette pour briser les cristaux de glace. Remettre dans le contenant, couvrir et congeler jusqu'à ce qu'il soit ferme.

3 Mettre le yogourt glacé au réfrigérateur pendant 30 minutes pour le laisser ramollir un peu. Déposer à la cuiller dans des bols de service et décorer de brins de menthe.

4 Servir avec des fruits frais telles des framboises ou des pêches tranchées.

variantes

• *Remplacer les fraises par des mûres et le yogourt aux fraises par du yogourt aux framboises.*

• *Remplacer la cassonade par du miel.*

mode de congélation

Le yogourt glacé se conservera jusqu'à 3 mois au congélateur.

desserts

des os forts, forts, forts

Pour vous assurer une charpente solide, voici un succulent choix de recettes pour nourrir et renforcer vos os et vos dents.

Le menu appétissant qui suit contient toutes les vitamines et tous les minéraux pour aider à protéger la plus délicate des ossatures.

soufflé chaud *aux* épinards

Les épinards sont une bonne source de magnésium, de bêta-carotène et d'acide folique.

▌ ingrédients

- 15 ml (1 c. à soupe) de parmesan finement râpé
- 450 g (1 lb) de feuilles d'épinard, rincées et hachées grossièrement
- 25 g (2 c. à soupe) de beurre
- 25 g (3 c. à soupe) de farine de blé entier (complète)
- 250 ml (9 oz) de lait
- 4 œufs moyens, les jaunes et les blancs séparés, et un blanc d'œuf supplémentaire
- 115 g (¼ de lb) de cheddar râpé
- Une pincée de poivre de cayenne
- Sel de mer
- Poivre noir, fraîchement moulu

pour *4 à 6 personnes*
préparation *20 minutes*
cuisson *30 à 45 minutes*

▌ méthode

1 Préchauffer le four à 190 °C (375 °F).

2 Graisser légèrement un plat à soufflé de 1,7 litre (7 tasses). Saupoudrer le plat de parmesan et réserver.

3 Faire cuire les épinards dans un peu d'eau jusqu'à ce qu'ils soient tout juste cuits. Égoutter soigneusement et hacher finement.

4 Mettre le beurre, la farine et le lait dans une casserole et faire chauffer à feu doux, en fouettant jusqu'à ce que la sauce bouillonne et épaississe. Laisser mijoter pendant 2 minutes, en remuant.

5 Incorporer les épinards.

6 Incorporer graduellement, en fouettant, les jaunes d'œufs et 180 g (6 oz) de cheddar. Ajouter le poivre de cayenne et les assaisonnements.

7 Fouetter les blancs d'œufs jusqu'à la formation de pics; incorporer à la préparation aux épinards.

8 Verser dans le plat à soufflé et saupoudrer du reste de cheddar. Faire cuire sur une plaque de four de 30 à 45 minutes jusqu'à ce que le soufflé soit bien gonflé, doré et pris.

9 Servir avec un mesclun et du pain de blé entier (complet).

risotto *au* saumon *et aux* asperges

Le saumon et le riz brun fournissent tous deux du magnésium, un minéral essentiel au maintien de la santé des os et des dents.

ingredients

- 15 ml (1 c. à soupe) d'huile d'olive
- 1 oignon, haché
- 2 gousses d'ail, hachées finement
- 225 g (¹/₂ lb) de champignons, tranchés
- 225 g (¹/₂ lb) de riz brun
- 300 ml (10 oz) de vin blanc sec
- 425 ml (14 oz) de bouillon de légumes ou de poisson bouillant (voir recette à la page 20)
- 280 g (10 oz) d'asperges fraîches, coupées en morceaux de 2,5 cm (1 po)
- 400 g (14 oz) de saumon en conserve dans l'eau, égoutté et effeuillé
- 30 ml (2 c. à soupe) d'estragon frais, haché
- Sel de mer
- Poivre noir, fraîchement moulu

pour *4 personnes*
préparation *15 minutes*
cuisson *40 minutes*

méthode

1 Faire chauffer l'huile dans une casserole. Ajouter l'oignon et l'ail. Faire cuire 5 minutes, en remuant de temps à autre.

2 Ajouter les champignons et le riz. Faire cuire 1 minute, en remuant.

3 Ajouter le vin et un peu de bouillon. Porter à ébullition, baisser le feu et laisser mijoter, sans couvercle, jusqu'à ce que le liquide soit presque tout absorbé.

4 Continuer d'ajouter du bouillon bouillant jusqu'à ce que le riz soit cuit et crémeux.

5 Entre-temps, faire cuire les asperges à la vapeur au-dessus d'une casserole d'eau bouillante de 8 à 10 minutes, jusqu'à ce qu'elles soient tendres. Égoutter et garder au chaud.

6 Incorporer les asperges, le saumon et l'estragon au risotto. Assaisonner au goût et laisser cuire à feu doux jusqu'à ce que le saumon soit chaud.

7 Servir avec une salade mélangée de tomates et de poivrons.

salade *de* fruits parfumés

Les fruits contiennent de la vitamine C, des fibres alimentaires et autres antioxydants essentiels à la santé.

ingredients

- 1 petit ananas
- 1 mangue mûre
- 1 carambole
- 3 kiwis
- 200 ml (7 oz) de jus de pomme non sucré
- 200 ml (7 oz) de jus d'orange non sucré
- 30 ml (2 c. à soupe) de xérès
- 30 ml (2 c. à soupe) de miel (facultatif)
- Brins de menthe fraîche, pour garnir

pour *4 à 6 personnes*
préparation *15 minutes, et 1 heure de macération*

méthode

1 Peler, parer et hacher l'ananas. Peler, dénoyauter et hacher la mangue. Mettre dans un bol.

2 Trancher la carambole et peler et trancher les kiwis. Ajouter au bol et remuer.

3 Mélanger les jus de fruits, le xérès et le miel, si désiré. Verser sur les fruits et remuer doucement.

4 Couvrir et laisser reposer à la température de la pièce pendant 1 heure avant de servir pour laisser les saveurs se fondre.

5 Déposer à la cuiller dans des bols et garnir de brins de menthe fraîche.

6 Servir avec du yogourt glacé ou du yogourt, maison.

les aliments *pour la* souplesse

La souplesse des articulations nécessite un apport d'antioxydants comme la vitamine C et le bêta-carotène. Les fruits et les légumes verts, jaunes, orange et rouges en sont une bonne source. Le sélénium s'avère aussi un nutriment important. Les meilleures sources de ce minéral sont les grains, les fruits de mer, les poissons frais, les viandes, les œufs, les oignons et les noix du Brésil. Une carence en bore, que l'on trouve dans les fruits, les légumes, les légumineuses et les noix, peut aggraver les symptômes de l'arthrite.

soupe *de* poivron rouge

Les poivrons rouges fournissent du bêta-carotène et de la vitamine C ; cette dernière aide à la mobilité des articulations.

ingrédients

- 15 ml (1 c. à soupe) d'huile d'olive
- 8 échalotes, hachées finement
- 1 grosse gousse d'ail, écrasée
- 3 gros poivrons rouges, épépinés et coupés en dés
- 450 g (1 lb) de tomates, hachées
- 850 ml (3 1/2 tasses) de bouillon de légumes (voir recette à la page 20)
- 30 ml (2 c. à soupe) de basilic frais, haché
- Sel de mer
- Poivre noir, fraîchement moulu
- 30 ml (2 c. à soupe) de crème fraîche ou de crème sûre (aigre) légère (facultatif)

pour *4 personnes*
préparation *10 minutes*
cuisson *25 à 30 minutes*

méthode

1 Faire chauffer l'huile dans une grande casserole. Ajouter les échalotes, l'ail et les poivrons et faire cuire 5 minutes.

2 Ajouter les tomates et le bouillon. Couvrir et porter à ébullition ; baisser le feu et laisser attendrir les légumes de 20 à 25 minutes.

3 Laisser refroidir légèrement et réduire en purée au mélangeur ou au robot culinaire. Passer la purée dans une passoire et jeter la pulpe.

4 Remettre la soupe dans la casserole rincée. Incorporer le basilic haché et l'assaisonnement et faire réchauffer à feu doux jusqu'à ce qu'elle soit bien chaude. Incorporer la crème fraîche ou la crème sûre légère, si désiré.

5 Verser dans des bols à soupe chauffés, garnir de brins de basilic et servir avec de petits pains de blé entier (complets).

variantes

- *Remplacer les échalotes par 1 oignon.*
- *Remplacer les tomates fraîches par une boîte de 425 g (14 oz) de tomates hachées.*
- *Remplacer le basilic par de la coriandre ou du persil frais, hachés.*

mode de congélation

Laisser refroidir complètement avant de mettre la soupe dans un contenant rigide pouvant aller au congélateur. Couvrir, sceller et étiqueter. Se conserve jusqu'à 3 mois. Laisser décongeler et réchauffer à feu doux dans une casserole jusqu'à ce qu'elle soit très chaude.

brochettes *de* fruits *de* mer

 Une carence en sélénium, un oligoélément qui se trouve dans les fruits de mer, a été liée à l'arthrite rhumatismale.

■ ingrédients

- 16 crevettes tigrées, décortiquées
- 16 pétoncles
- 225 g (^{1}/$_2$ lb) de filet de saumon, en cubes de 2,5 cm (1 po)
- 225 g (^{1}/$_2$ lb) de filet d'aiglefin, en cubes de 2,5 cm (1 po)
- 1 poivron rouge, épépiné et coupé en 8
- 1 poivron jaune, épépiné et coupé en 8
- 16 tomates cerises
- 60 ml (^{1}/$_4$ de tasse) d'huile d'olive
- Le zeste finement râpé et le jus de 2 limes
- 1 c. à café (à thé) de poudre de cinq-épices chinois
- Sel de mer
- Poivre noir, fraîchement moulu

pour *4 personnes*
préparation *10 minutes, et 2 à 3 heures de macération*
cuisson *8 à 10 minutes*

■ méthode

1 Répartir également les fruits de mer et les légumes sur huit brochettes et les déposer dans un plat non métallique, peu profond.
2 Bien fouetter l'huile, le zeste et le jus des limes, le cinq-épices et l'assaisonnement dans un bol. Verser sur les brochettes ; les retourner pour bien les enrober. Couvrir et laisser mariner au réfrigérateur de 2 à 3 heures.
3 Préchauffer le gril du four à feu vif. Faire griller les brochettes sur une grille de 8 à 10 minutes, jusqu'à ce qu'elles soient cuites, en les tournant de temps à autre. Les badigeonner souvent avec la marinade pendant la cuisson.
4 Servir les brochettes accompagnées de petits pains de blé entier (complets).

variante

• *Remplacer les tomates cerises par des petits champignons blancs.*

frittata *de* légumes verts

Les légumes verts contiennent du bêta-carotène et de la vitamine C, ainsi que du bore, un minéral important pour les os.

■ ingrédients

- 175 g (6 oz) de petits bouquets de brocoli
- 115 g (^{1}/$_4$ de lb) de pois surgelés
- 30 ml (2 c. à soupe) d'huile d'olive
- 1 oignon, haché
- 225 g (^{1}/$_2$ lb) de pommes de terre bouillies, refroidies, coupées en dés
- 55 g (2 oz) d'épinards émincés
- 6 œufs moyens
- 30 ml (2 c. à soupe) d'herbes fraîches mélangées, hachées
- Sel de mer
- Poivre noir, fraîchement moulu
- 55 g (2 oz) de cheddar râpé

pour *4 à 6 personnes*
préparation *10 minutes*
cuisson *25 à 30 minutes*

■ méthode

1 Faire cuire le brocoli et les pois dans une casserole d'eau bouillante pendant 4 minutes. Bien égoutter.
2 Faire chauffer l'huile dans une grande poêle antiadhésive. Ajouter l'oignon, et faire cuire à feu doux 10 minutes.
3 Ajouter les pommes de terre et les épinards, et faire cuire 5 minutes.
4 Battre les œufs et ajouter le brocoli, les pois, les herbes et l'assaisonnement. Verser sur les légumes dans la poêle en étalant.
5 Faire cuire à feu moyen jusqu'à ce que les œufs commencent à prendre et que le dessous de la frittata devienne doré.
6 Préchauffer le gril du four à feu modéré.
7 Parsemer le dessus de la frittata de cheddar et passer sous le gril jusqu'à ce que le fromage ait fondu et que le dessus soit doré.
8 Couper en pointes et servir.

variantes

• *Remplacer les bouquets de brocoli par des tranches de courgette.*
• *Remplacer l'oignon par 6 échalotes.*

soupes *et* entrées

truite poêlée *aux* agrumes

 Le poisson frais content du sélénium, un élément essentiel pour des articulations saines.

■ ingrédients

- 8 filets de truite de 85 g (3 oz) chacun
- le jus et le zeste paré de 1 gros citron
- le jus de 1 orange
- 2 gousses d'ail, écrasées
- Sel de mer
- Poivre noir, fraîchement moulu
- 15 ml (1 c. à soupe) d'huile d'olive
- 15 g (1 c. à soupe) de beurre
- 15 ml (1 c. à soupe) de persil frais, haché
- 15 ml (1 c. à soupe) de basilic frais, haché

pour *4 personnes*
préparation *10 minutes, et 1 heure de macération*
cuisson *10 minutes*

■ méthode

1 Mettre les filets de poisson dans un plat non métallique, peu profond.
2 Mélanger le zeste et le jus du citron, le jus d'orange, l'ail et l'assaisonnement et verser sur le poisson en le retournant pour bien l'enrober. Couvrir et laisser mariner au réfrigérateur pendant 1 heure.
3 Faire chauffer l'huile et le beurre dans une grande poêle antiadhésive jusqu'à ce que le beurre soit fondu. À l'aide d'une cuiller à égoutter, retirer les filets de la marinade et les déposer dans la poêle.
4 Faire cuire de 2 à 3 minutes de chaque côté, jusqu'à ce que le poisson soit cuit et que la chair s'effeuille sous les dents d'une fourchette.
5 À l'aide d'une pelle à poisson, déposer les filets dans une assiette de service chaude, couvrir et garder au chaud.
6 Ajouter la marinade à la poêle; jeter le zeste de citron. Porter à ébullition et faire bouillir pendant quelques minutes, en remuant de temps à autre, jusqu'à ce que la sauce ait réduit et épaissi légèrement.

7 Verser la sauce sur le poisson et parsemer de fines herbes. Servir chaud accompagné de légumes frais cuits tels des pommes de terre nouvelles, des épinards et des petites carottes.

variante

- *Remplacer le basilic par de la coriandre fraîche hachée.*

poissons *et* fruits de mer

sauté *de* crevettes *et de* brocoli

Le brocoli contient des caroténoïdes, de la vitamine C et du bore, tous des éléments essentiels à la souplesse des articulations.

ingrédients

- 225 g ($^1/_2$ lb) de petits bouquets de brocoli
- 2 c. à café (à thé) de fécule de maïs
- 60 ml ($^1/_4$ de tasse) de jus de pomme non sucré
- 15 ml (1 c. à soupe) de xérès sec
- 15 ml (1 c. à soupe) de sauce de soja légère
- 15 ml (1 c. à soupe) de miel
- 2 c. à café (à thé) de concentré de tomate
- Sel
- Poivre noir, fraîchement moulu
- 15 ml (1 c. à soupe) d'huile d'olive
- 1 gousse d'ail, hachée finement
- 1 morceau de 2,5 cm (1 po) de gingembre frais, pelé et haché finement
- 1 carotte, en julienne
- 2 courgettes, en julienne
- 350 g ($^3/_4$ de lb) de crevettes décortiquées, cuites
- 115 g ($^1/_4$ de lb) de germes de haricots

pour *4 à 6 personnes*
préparation *15 minutes*
cuisson *8 à 10 minutes*

méthode

1 Faire cuire le brocoli dans l'eau bouillante 2 minutes. Égoutter et garder au chaud.

2 Dans un petit bol, mélanger la fécule de maïs et le jus de pomme. Incorporer le xérès, la sauce de soja, le miel, le concentré de tomate et l'assaisonnement. Réserver.

3 Faire chauffer l'huile dans un wok ou une grande poêle antiadhésive. Ajouter l'ail et le gingembre et faire sauter à feu vif pendant 30 secondes. Ajouter les carottes et les courgettes et faire sauter de 2 à 3 minutes.

4 Ajouter le brocoli, les crevettes et les germes de haricots et faire sauter 2 à 3 minutes de plus. Ajouter le mélange de fécule de maïs et faire revenir jusqu'à ce que le mélange commence à épaissir; faire sauter de 1 à 2 minutes de plus.

5 Servir accompagné d'un mélange de riz brun et de riz sauvage.

variante

- *Remplacer le brocoli par du chou-fleur.*

foies *de* poulet braisés *au* thym frais

 Le foie fournit de la vitamine A et du sélénium, un antioxydant important pour les articulations. L'huile d'olive utilisée pour la cuisson renferme des acides gras oméga-6 qui aident à la souplesse des articulations.

▌ ingrédients

- 30 ml (2 c. à soupe) d'huile d'olive
- 1 gros oignon, tranché
- 450 g (1 lb) de foies de poulet, coupés en tranches fines
- 175 g (6 oz) de champignons sauvages tels shiitakes et pleurotes, tranchés
- 350 g ($3/4$ de lb) de tomates, pelées, épépinées et coupées en fines lanières
- 150 ml (5 oz) de vin rouge ou blanc sec
- 15 ml (1 c. à soupe) de thym frais, haché
- Sel de mer
- Poivre noir, fraîchement moulu
- Brins de thym frais, pour garnir

pour *4 à 6 personnes*
préparation *15 minutes*
cuisson *8 à 10 minutes*

▌ méthode

1 Faire chauffer l'huile dans une grande poêle antiadhésive, ajouter l'oignon et faire ramollir à feu doux 10 minutes, en remuant de temps à autre.

2 Ajouter les foies de poulet et les champignons. Faire revenir 5 minutes, en remuant.

3 Ajouter les tomates, le vin et le thym haché. Porter à ébullition et faire mijoter 5 minutes de plus jusqu'à ce que le foie soit cuit, en remuant de temps à autre.

4 Assaisonner au goût.

5 Servir chaud, garni de brins de thym frais, accompagné de pommes de terre, de carottes et de céleri braisés.

variantes

- *Remplacer le vin par du bouillon.*
- *Remplacer l'oignon ordinaire par 1 oignon rouge.*

viandes *et* volailles

dindon cuit au four *avec* salsa *à la* mangue

 Les mangues utilisées pour la salsa sont une bonne source de caroténoïdes et de vitamine C, les deux étant essentielles à la souplesse et à la fonction des articulations.

■ ingrédients

- 4 escalopes de dindon désossées et sans peau
- 15 ml (1 c. à soupe) d'huile d'olive
- 30 ml (2 c. à soupe) de moutarde à l'ancienne
- 30 ml (2 c. à soupe) d'estragon frais, haché
- Sel de mer
- Poivre noir, fraîchement moulu
- 1 oignon, émincé
- Le jus d'un gros citron
- Brins de fines herbes, pour garnir

pour la salsa

- 1 grosse mangue, pelée, dénoyautée et hachée finement
- 55 g (2 oz) de concombre anglais, haché finement
- 4 oignons verts, hachés finement
- 15 ml (1 c. à soupe) de coriandre fraîche, hachée

pour *4 personnes*
préparation *15 minutes, et 1 à 2 heures de repos*
cuisson *30 à 45 minutes*

■ méthode

1 Préparer d'abord la salsa. Bien mélanger la mangue, le concombre, les oignons verts et la coriandre dans un bol. Couvrir et laisser reposer à la température de la pièce de 1 à 2 heures.

2 Préchauffer le four à 190 °C (375 °F). Tailler quatre carrés de papier parchemin, pour emballer les escalopes. Entailler chaque escalope à trois endroits et déposer sur le papier.

3 Mélanger l'huile, la moutarde, l'estragon et l'assaisonnement dans un petit bol. Étaler une partie de ce mélange sur chaque escalope.

4 Déposer quelques tranches d'oignon sur le dessus de chaque escalope et arroser de jus de citron. Emballer chaque escalope et tourner les extrémités; donne 4 papillotes.

5 Déposer les escalopes sur une plaque de four et faire cuire de 30 à 45 minutes, jusqu'à ce que le dindon soit cuit et tendre.

6 Défaire soigneusement les papillotes (pour éviter les brûlures causées par la vapeur) et déposer les escalopes cuites dans des assiettes de service chauffées. Arroser du jus de cuisson et accompagner de salsa. Garnir de brins de fines herbes.

7 Servir avec des pommes de terre sautées et des poivrons grillés.

variantes

- *Remplacer le dindon par des poitrines de poulet désossées et sans peau.*
- *Remplacer la mangue par 1 petit ananas frais.*
- *Remplacer l'estragon par de la coriandre ou du basilic frais hachés.*

quiche *aux* légumes d'été

 Le brocoli et les asperges fournissent du bore, excellent pour les os et les articulations.

■ ingrédients

pour la pâte

- 175 g (1 ¹/₂ tasse) de farine de blé entier (complète)
- 1 pincée de sel
- 85 g (¹/₃ de tasse) de beurre

pour la garniture

- 55 g (2 oz) de petits bouquets de brocoli
- 55 g (2 oz) de pointes d'asperges
- 1 courgette, émincée
- 2 tomates italiennes, tranchées
- 85 g (3 oz) de cheddar râpé
- 2 œufs moyens
- 150 ml (5 oz) de lait
- 15 à 30 ml (1 à 2 c. à soupe) de fines herbes fraîches mélangées, hachées
- Sel de mer
- Poivre noir, fraîchement moulu

pour *6 personnes*
préparation *15 minutes, et le temps de réfrigération*
cuisson *55 minutes*

■ méthode

1 Mettre la farine et le sel dans un bol, et y couper le beurre jusqu'à l'obtention d'une consistance semblable à de la chapelure. Incorporer assez d'eau pour obtenir une pâte souple.

2 Abaisser la pâte et en tapisser une assiette à tarte. Couvrir et réfrigérer pendant 20 minutes.

3 Préchauffer le four à 200 °C (400 °F).

4 Déposer une feuille de papier parchemin sur l'abaisse et remplir de haricots non cuits. Placer sur une plaque à pâtisserie et faire cuire à blanc pendant 10 minutes. Retirer du four et en baisser la température à 180 °C (350 °F).

5 Blanchir le brocoli, les asperges et la courgette dans l'eau bouillante 2 minutes. Égoutter et déposer dans la croûte à tarte. Garnir des tranches de tomates et parsemer de fromage.

6 Battre les œufs, le lait, les herbes et l'assaisonnement; verser ce mélange dans la croûte. Faire cuire environ 45 minutes, jusqu'à ce que la quiche soit dorée.

7 Servir tiède ou froide, en pointes, accompagnée d'une pomme de terre au four et d'une salade.

chili *de* haricots *et de* légumes

 Les légumes frais fournissent des caroténoïdes, de la vitamine C et du sélénium.

■ ingrédients

- 15 ml (1 c. à soupe) d'huile d'olive
- 1 oignon, tranché
- 1 poivron rouge, épépiné et coupé en dés
- 2 piments rouges, épépinés et hachés finement
- 2 gousses d'ail, hachées finement
- 2 c. à café (à thé) de coriandre moulue
- 2 carottes, tranchées
- 225 g (¹/₂ lb) de bouquets de chou-fleur
- 400 g (14 oz) de tomates en conserve, hachées
- 300 ml (10 oz) de bouillon de légumes (voir recette à la page 20)
- 30 ml (2 c. à soupe) de concentré de tomates séchées
- Sel de mer
- Poivre noir, fraîchement moulu
- 400 g (14 oz) chacun de haricots rouges et de haricots verts, rincés et égouttés
- 20 g (2 c. à soupe) de fécule de maïs
- Brins de coriandre fraîche

pour *4 à 6 personnes*
préparation *20 minutes*
cuisson *40 à 45 minutes*

■ méthode

1 Faire chauffer l'huile dans une grande casserole et y faire cuire l'oignon, le poivron, les piments, l'ail et la coriandre à feu doux 5 minutes.

2 Ajouter les carottes, le chou-fleur, les tomates, le bouillon, le concentré de tomate et l'assaisonnement et remuer. Couvrir et porter à ébullition; baisser le feu et laisser mijoter 25 minutes.

3 Incorporer les haricots. Ramener à ébullition et laisser attendrir les légumes de 10 à 15 minutes de plus.

4 Mélanger la fécule de maïs à 60 ml (¹/₄ de tasse) d'eau et incorporer au mélange de haricots. Porter à ébullition, en remuant continuellement jusqu'à ce que le mélange ait légèrement épaissi. Laisser mijoter 2 minutes, en remuant.

5 Servir sur un lit de riz brun, de pâtes ou de couscous, et garnir de brins de coriandre fraîche.

variantes

- *Remplacer les haricots par d'autres légumineuses en conserve comme des doliques ou des fèves de lima.*
- *Remplacer les bouquets de chou-fleur par des bouquets de brocoli.*

légumes

crêpes *de* sarrasin *aux* cerises

 Les fruits rouges comme les cerises contiennent des caroténoïdes et de la vitamine C.

▋ ingrédients

pour la sauce

- 125 ml (¹/₂ tasse) de vin rouge
- 50 g (¹/₄ de tasse) de cassonade pâle
- 225 g (¹/₂ lb) de cerises foncées fraîches sucrées, dénoyautées
- 2 c. à café (à thé) d'arrow-root
- 30 ml (2 c. à soupe) de brandy aux cerises

pour les crêpes

- 55 g (¹/₂ tasse) de farine de blé entier (complète)
- 55 g (¹/₂ tasse) de farine de sarrasin
- 1 pincée de sel
- 1 œuf moyen
- 300 ml (10 oz) de lait
- Huile de tournesol pour la cuisson

pour *4 personnes (deux crêpes chacune)*
préparation *25 minutes*
cuisson *15 à 20 minutes*

▋ méthode

1 Mettre le vin rouge et la cassonade dans une casserole et faire chauffer à feu doux jusqu'à ce que la cassonade ait fondu, en remuant continuellement. Ajouter les cerises, couvrir et porter à ébullition.

Baisser le feu et faire cuire à feu doux 10 minutes, jusqu'à ce que les cerises soient tendres, en remuant de temps à autre.

2 Mélanger l'arrow-root et le brandy aux cerises et ajouter au mélange de cerises. Porter à ébullition, en remuant continuellement jusqu'à ce que le mélange ait épaissi. Garder la sauce au chaud pendant la cuisson des crêpes ou la servir froide.

3 Préparer la pâte à crêpes en mélangeant les farines et le sel dans un bol; faire un puits au centre, y casser l'œuf et y verser un peu de lait, en battant avec une cuiller de bois.

4 Incorporer graduellement en battant le reste du lait, en ramenant de la farine des parois, jusqu'à l'obtention d'une pâte lisse.

5 Faire chauffer un peu d'huile dans une poêle antiadhésive de 18 cm (7 po) de diamètre. Verser suffisamment de pâte pour couvrir le fond d'une couche mince. Faire dorer et retourner pour faire cuire l'autre côté.

6 Mettre la crêpe dans une assiette chaude et la garder au chaud. Répéter avec le reste de la pâte pour obtenir huit crêpes, les empiler

en les séparant par des feuilles de papier parchemin.

7 Servir les crêpes chaudes, nappées de sauce tiède ou froide. Ajouter un peu de crème fraîche, de crème sûre (aigre) légère ou de yogourt, si désiré.

variantes

- *Remplacer le brandy aux cerises par du jus de pomme non sucré.*
- *Remplacer les cerises par des prunes ou des framboises.*
- *N'utiliser que de la farine de blé entier (complète).*

mode de congélation

Pour congeler les crêpes, ajouter 15 ml (1 c. à soupe) d'huile de tournesol à la recette de base, faire cuire tel qu'il est indiqué et laisser refroidir. Insérer une feuille de papier parchemin légèrement huilée, ou un cellophane pour le congélateur, entre chaque crêpe. Sceller dans un sac en plastique pour le congélateur ou du papier d'aluminium et congeler jusqu'à 2 mois. Décongeler et faire réchauffer chaque crêpe individuellement dans une poêle légèrement graissée, environ 30 secondes de chaque côté.

parfait *aux* petits fruits

 Les petits fruits contiennent des caroténoïdes et de la vitamine C.

ingrédients

• 770 (1 ¹/₂ lb) de petits fruits mûrs comme des fraises, des framboises et des mûres

• 60 ml (¹/₄ de tasse) de miel

• 300 ml (10 oz) de yogourt nature

• 90 ml (¹/₃ de tasse) de crème fraîche ou de crème sûre (aigre) légère

• Brins de menthe fraîche, pour garnir

pour *6 personnes*
préparation *15 minutes, et 30 minutes de réfrigération*

méthode

1 Mettre les fruits dans un mélangeur ou un robot culinaire et réduire en purée. Passer la purée dans une passoire dans un bol ; garder le jus et la pulpe, et jeter les graines.

2 Mélanger le miel avec la purée de fruit. Incorporer le yogourt et la crème fraîche ou la crème sûre légère jusqu'à ce que la préparation soit entièrement mélangée.

3 Verser dans des verres de service ou des bols et réfrigérer 30 minutes avant de servir. Garnir de brins de menthe fraîche et servir accompagné de biscuits à l'avoine.

variantes

• *Remplacer les petits fruits par la même quantité de mangue mûre pelée et dénoyautée.*

• *Ce parfait peut être transformé en bavaroise en y ajoutant de la gélatine. Suivre la recette et, avant de réfrigérer le dessert, dissoudre 15 ml (1 c. à soupe) de gélatine en poudre dans 45 ml (3 c. à soupe) d'eau. Laisser tiédir un peu avant d'y incorporer la purée de fruits ; bien mélanger. Verser dans des verres de service et réfrigérer jusqu'à ce que ce soit ferme.*

gâteau *au* fromage marbré

 Les mûres sont une excellente source de potassium et de vitamine C.

ingrédients

• 175 g (6 oz) de mûres, de cerises ou de framboises surgelées, décongelées

• 100 g (¹/₂ tasse) de cassonade pâle

• 85 g (¹/₃ de tasse) de beurre, haché

• 175 (6 oz) de müesli

• 15 ml (1 c. à soupe) de gélatine en poudre

• 115 g (¹/₄ de lb) de fromage cottage (blanc), égoutté

• 115 g (¹/₄ de lb) de yogourt nature, égoutté

• 150 ml (5 oz) de crème légère

• Le zeste finement râpé et le jus de 1 citron

• Des mûres et des brins de menthe fraîche, pour garnir

pour *6 à 8 personnes*
préparation *25 minutes, et le temps de réfrigération*

méthode

1 Réduire en purée les mûres et 35 g (3 c. à soupe) de cassonade dans un robot culinaire. Passer à travers une passoire. Réserver.

2 Faire fondre le beurre dans une casserole. Retirer du feu et incorporer le müesli. Foncer de ce mélange le fond d'un moule à fond amovible de 20 cm (8 po) de diamètre. Réfrigérer 30 minutes.

3 Saupoudrer la gélatine dans un bol contenant 45 ml (3 c. à soupe) d'eau. Laisser tremper quelques minutes ; placer au-dessus d'une casserole d'eau bouillante et remuer pour dissoudre.

4 Mettre le reste de la cassonade, le fromage, le yogourt, la crème, le zeste et le jus de citron dans un robot culinaire et mélanger. Ajouter la gélatine et bien incorporer au mélange. Verser dans le moule sur le fond de müesli.

5 Verser la purée de fruits en filet sur la préparation au fromage et créer un effet marbré avec un couteau. Réfrigérer jusqu'à ce que la garniture soit ferme.

6 Défaire le moule, garnir de brins de menthe et servir en pointes.

desserts

régal *tout en* souplesse

De délicieuses recettes issues de la section Les aliments pour la souplesse renferment les vitamines et les minéraux indispensables au bon fonctionnement des articulations. Laissez le contenu de votre assiette vous aider à garder votre mobilité et à éloigner l'ostéoporose et l'arthrite.

Démarrez en beauté avec des poivrons rouges pour une dose élevée de bêta-carotène et de la vitamine C, des nutriments essentiels pour la mobilité et le fonctionnement des articulations.

soupe *de* poivron rouge

Les poivrons rouges fournissent du bêta-carotène et de la vitamine C; cette dernière aide à la mobilité des articulations.

▉ ingrédients

- 15 ml (1 c. à soupe) d'huile d'olive
- 8 échalotes, hachées finement
- 1 grosse gousse d'ail, écrasée
- 3 gros poivrons rouges, épépinés et coupés en dés
- 450 g (1 lb) de tomates, hachées
- 850 ml (3 ½ tasses) de bouillon de légumes (voir recette à la page 20)
- 30 ml (2 c. à soupe) de basilic frais, haché
- Sel de mer
- Poivre noir, fraîchement moulu
- 30 ml (2 c. à soupe) de crème fraîche ou de crème sûre (aigre) légère (facultatif)

pour *4 personnes*
préparation *10 minutes*
cuisson *25 à 30 minutes*

▉ méthode

1 Faire chauffer l'huile dans une grande casserole. Ajouter les échalotes, l'ail et les poivrons et faire cuire 5 minutes.

2 Ajouter les tomates et le bouillon. Couvrir et porter à ébullition; baisser le feu et laisser attendrir les légumes de 20 à 25 minutes.

3 Laisser refroidir légèrement et réduire en purée au mélangeur ou au robot culinaire. Passer la purée dans une passoire et jeter la pulpe.

4 Remettre la soupe dans la casserole rincée. Incorporer le basilic haché et l'assaisonnement et faire réchauffer à feu doux jusqu'à ce qu'elle soit bien chaude. Incorporer la crème fraîche ou la crème sûre légère, si désiré.

5 Verser dans des bols à soupe chauffés, garnir de brins de basilic et servir avec de petits pains de blé entier (complets).

dindon cuit *au* four *avec* salsa *à la* mangue

Les mangues utilisées pour la salsa sont une bonne source de caroténoïdes et de vitamine C, les deux étant essentielles à la souplesse et à la fonction des articulations.

ingrédients

- 4 escalopes de dindon désossées et sans peau
- 15 ml (1 c. à soupe) d'huile d'olive
- 30 ml (2 c. à soupe) de moutarde à l'ancienne
- 30 ml (2 c. à soupe) d'estragon frais, haché
- Sel de mer
- Poivre noir, fraîchement moulu
- 1 oignon, émincé
- Le jus d'un gros citron
- Brins de fines herbes, pour garnir

pour la salsa

- 1 grosse mangue, pelée, dénoyautée et hachée finement
- 55 g (2 oz) de concombre anglais, haché finement
- 4 oignons verts, hachés finement
- 15 ml (1 c. à soupe) de coriandre fraîche, hachée

pour *4 personnes*
préparation *15 minutes, et 1 à 2 heures de repos*
cuisson *30 à 45 minutes*

méthode

1 Préparer d'abord la salsa. Bien mélanger la mangue, le concombre, les oignons verts et la coriandre dans un bol. Couvrir et laisser reposer à la température de la pièce de 1 à 2 heures.

2 Préchauffer le four à 190 °C (375 °F). Tailler quatre carrés de papier parchemin, pour emballer les escalopes. Entailler chaque escalope à trois endroits et déposer sur le papier.

3 Mélanger l'huile, la moutarde, l'estragon et l'assaisonnement dans un petit bol. Étaler une partie de ce mélange sur chaque escalope.

4 Déposer quelques tranches d'oignon sur le dessus de chaque escalope et arroser de jus de citron. Emballer chaque escalope et tourner les extrémités; donne 4 papillotes.

5 Déposer les escalopes sur une plaque de four et faire cuire de 30 à 45 minutes, jusqu'à ce que le dindon soit cuit et tendre.

6 Défaire soigneusement les papillotes (pour éviter les brûlures causées par la vapeur) et déposer les escalopes cuites dans des assiettes de service chauffées. Arroser du jus de cuisson et accompagner de salsa. Garnir de brins de fines herbes.

7 Servir avec des pommes de terre sautées et des poivrons grillés.

gâteau *au* fromage marbré

Les mûres sont une excellente source de potassium et de vitamine C.

ingrédients

- 175 g (6 oz) de mûres, de cerises ou de framboises surgelées, décongelées
- 100 g (1/2 tasse) de cassonade pâle
- 85 g (1/3 de tasse) de beurre, haché
- 175 (6 oz) de müesli
- 15 ml (1 c. à soupe) de gélatine en poudre
- 115 g (1/4 de lb) de fromage cottage (blanc), égoutté
- 115 g (1/4 de lb) de yogourt nature, égoutté
- 150 ml (5 oz) de crème légère
- Le zeste finement râpé et le jus de 1 citron
- Des mûres et des brins de menthe fraîche, pour garnir

Pour *6 à 8 personnes*
préparation *25 minutes, et le temps de réfrigération*

méthode

1 Réduire en purée les mûres et 35 g (3 c. à soupe) de cassonade dans un robot culinaire. Passer à travers une passoire. Réserver.

2 Faire fondre le beurre dans une casserole. Retirer du feu et incorporer le müesli. Foncer de ce mélange le fond d'un moule à fond amovible de 20 cm (8 po) de diamètre. Réfrigérer 30 minutes.

3 Saupoudrer la gélatine dans un bol contenant 45 ml (3 c. à soupe) d'eau. Laisser tremper quelques minutes; placer au-dessus d'une casserole d'eau bouillante et remuer pour dissoudre.

4 Mettre le reste de la cassonade, le fromage, le yogourt, la crème, le zeste et le jus de citron dans un robot culinaire et mélanger. Ajouter la gélatine et bien incorporer au mélange. Verser dans le moule sur le fond de müesli.

5 Verser la purée de fruits en filet sur la préparation au fromage et créer un effet marbré avec un couteau. Réfrigérer jusqu'à ce que la garniture soit ferme.

6 Défaire le moule, garnir de brins de menthe et servir en pointes.

aliments

Pour la section sur la beauté, nous avons choisi des recettes qui vous aideront à garder la santé et à remodeler votre corps. Vous y trouverez de nombreux aliments pour améliorer l'état de votre peau, vos ongles, vos cheveux et vos yeux.

Nous faisons appel à une abondance de fruits et de légumes comme le citron, l'artichaut, le pissenlit, les pommes, l'ananas et le pamplemousse qui, en plus d'être riches en fibres, contiennent des composantes qui aident le corps à éliminer les substances potentiellement toxiques. Les recettes de la présente section sont faibles en gras pour aider à réduire les calories. Jumeler ces repas à de l'exercice physique vous permettra d'en tirer le maximum.

Une peau saine nécessite un bon apport de vitamine A que le corps obtient du bêta-carotène, une source végétale de vitamine A. Les carottes, les tomates, le cantaloup, les épinards, les patates douces et les abricots en contiennent de grandes quantités. Les poissons gras, les noix de Grenoble, les graines de lin, de tournesol et de citrouille

BEAUTÉ

et leurs huiles, sont riches en gras essentiels et en vitamine E qui jouent aussi un rôle dans le maintien d'une peau saine. Le complexe vitaminique B, de concert avec le fer et le zinc, est important pour la santé de la peau, des cheveux et des ongles. On en trouve dans le riz brun, l'avoine, les sardines, le germe de blé, la levure de bière, les graines de tournesol, les raisins secs, le brocoli, les pois et les patates douces.

Pour assurer la santé optimale de vos yeux, il vous faut les vitamines A et B, ainsi que des acides gras essentiels. Les meilleures sources sont le foie (vitamines A et B), les poissons gras (vitamine B12 et acides gras essentiels), et les carottes, les épinards, le brocoli et les abricots (pour la vitamine A dérivée du bêta-carotène). Les bleuets (myr-tilles) et les mûres contiennent des flavonoïdes, qui agissent comme antioxydants pour aider à renforcer les capillaires et réduire le risque de cataractes. Nos recettes regorgent de tous ces éléments nutritifs. Nous espérons que vous les aimerez autant que nous.

un bon départ

On sait qu'une alimentation équilibrée est essentielle au maintien de la santé. Il se peut, cependant, qu'après avoir abusé de bonnes choses — en vacances, peut-être — vous souhaitiez manger plus légèrement. Les aliments qu'il fait bon inclure dans un menu allégé sont les fruits et les légumes frais, le yogourt et le riz brun. Il faut éviter les viandes grasses et les collations salées. Le type de liquides que vous consommez, et en quelle quantité, est aussi important que les aliments que vous mangez. De l'eau, du lait faible en gras et des jus de fruits non sucrés en abondance sont les plus bénéfiques. À éviter : les boissons caféinées comme le café, les boissons gazeuses, les thés, et l'alcool.

boisson *à la* mangue *et à* l'abricot

Les mangues et les abricots sont riches en vitamine C et autres antioxydants.

▮ ingrédients

- 1 grosse mangue mûre
- 8 abricots mûrs

pour *2 personnes* (**donne** *425 ml/15 oz*)
préparation *10 minutes*

▮ méthode

1 Peler et dénoyauter la mangue et hacher grossièrement la chair. Couper les abricots en deux et les dénoyauter.

2 Mettre la chair de la mangue et les abricots dans un mélangeur ou un robot culinaire avec 175 ml (6 oz) d'eau ; réduire en purée.

3 Passer le mélange dans une passoire et jeter la pulpe.

4 Verser le jus dans des verres et servir immédiatement, ou couvrir et réfrigérer avant de servir.

variantes

- *Remplacer la mangue par 1 petit ananas.*
- *Remplacer l'eau par du jus d'orange fraîchement pressé.*

breuvages

yogourt fouetté *à la* banane

 Les bananes contiennent une grande quantité de nutriments, dont le potassium, le magnésium, de la vitamine B6 et de la vitamine C.

■ ingrédients

• 300 ml (10 oz) de yogourt nature

• 2 bananes, pelées et tranchées

pour *2 personnes* **(donne** *500 ml/2 tasses***)**
préparation *5 minutes*

■ méthode

1 Mettre le yogourt et les bananes dans un mélangeur ou un robot culinaire et mélanger jusqu'à consistance lisse.

2 Verser dans des verres et servir immédiatement.

variante

• *Remplacer les bananes par 225 g (¹/2 lb) de fraises ou de pêches.*

breuvages

vitamine C *à* boire

 La vitamine C est un antioxydant essentiel à de nombreuses fonctions du corps.

■ ingrédients

- 1 pamplemousse rose
- 1 orange
- 2 kiwis
- 115 g (¹/₄ de lb) de fraises

pour *2 personnes* **(donne** *425 ml/15 oz)*
préparation *10 minutes*

■ méthode

1 Peler le pamplemousse et l'orange, en enlevant le maximum de chair blanche. Séparer les fruits en quartiers. Peler et couper les kiwis en quartiers.

2 Mettre les quartiers de fruits et les fraises dans un mélangeur ou un robot culinaire et réduire en purée lisse.

3 Passer le mélange dans une passoire et jeter la pulpe.

4 Verser le jus dans des verres et servir immédiatement, ou couvrir et réfrigérer avant de servir.

variantes

- *Remplacer les fraises par des framboises.*
- *Remplacer l'orange par 2 ou 3 satsumas ou clémentines.*

soupe jardinière

 Les carottes, le navet, les pommes de terre et le panais fournissent une abondance d'antioxydants.

■ ingrédients

- 1 gros oignon, haché finement
- 2 branches de céleri, hachées
- 225 g ($^1/_2$ lb) de carottes, émincées
- 225 g ($^1/_2$ lb) de panais, en dés
- 175 g (6 oz) de pommes de terre, ou de céleri-rave, en dés
- 175 g (6 oz) de navet, en dés
- 850 ml (3 $^1/_3$ tasses) de bouillon de légumes (voir recette à la page 20)
- 2 c. à café (à thé) d'herbes de Provence, séchées
- Sel de mer
- Poivre noir, fraîchement moulu
- Brins de fines herbes, pour garnir

pour *4 personnes*
préparation *15 minutes*
cuisson *25 minutes*

■ méthode

1 Mettre tous les légumes dans une casserole avec le bouillon, les herbes et l'assaisonnement; remuer.

2 Couvrir et porter à ébullition. Baisser le feu et laisser mijoter environ 25 minutes, jusqu'à ce que les légumes soient cuits et tendres, en remuant de temps à autre.

3 Verser dans des bols chauds et garnir de brins de fines herbes.

variantes

- *Cette soupe peut être réduite en purée dans un mélangeur ou un robot culinaire. Bien réchauffer à feu doux avant de servir.*
- *Remplacer l'oignon par 2 poireaux.*
- *Remplacer le navet et le panais par du rutabaga et des patates douces.*

mode de congélation

Laisser la soupe refroidir complètement avant de la verser dans un contenant rigide allant au congélateur. Couvrir, sceller et étiqueter. Se conserve jusqu'à 3 mois. Laisser décongeler et réchauffer à feu doux jusqu'à ce qu'elle soit très chaude.

soupes *et* entrées

soupe *aux* pois frais *et à* l'oignon persillée

 Le persil, souvent utilisé pour garnir, est une bonne source de vitamine C.

▌ ingrédients

- 15 ml (1 c. à soupe) d'huile d'olive
- 1 oignon, haché finement
- 2 poireaux, rincés et tranchés
- 350 g ($3/4$ de lb) de pommes de terre, coupées en dés
- 225 g ($1/2$ lb) de pois frais, écossés
- 850 ml (3 $1/3$ tasses) de bouillon de légumes (voir recette à la page 20)
- Sel de mer
- Poivre noir, fraîchement moulu
- 30 ml (2 c. à soupe) de persil frais, haché
- Brins de persil frais, pour garnir

pour *4 à 6 personnes*
préparation *15 minutes*
cuisson *20 à 25 minutes*

▌ méthode

1 Faire chauffer l'huile dans une grande casserole et y faire cuire l'oignon et les poireaux à feu doux 3 minutes, en remuant.

2 Ajouter les pommes de terre, les pois, le bouillon et l'assaisonnement; remuer. Baisser le feu et laisser mijoter pour attendrir les légumes de 15 à 20 minutes, en remuant de temps à autre.

3 Retirer la casserole du feu et laisser refroidir légèrement. Réduire en purée dans un mélangeur ou un robot culinaire jusqu'à l'obtention d'une consistance lisse.

4 Verser la soupe dans la casserole rincée. Ajouter le persil haché et bien réchauffer à feux doux, en remuant de temps à autre.

5 Verser dans des bols chauds et garnir de brins de persil frais.

variantes

La soupe n'a pas besoin d'être réduite en purée, et les légumes peuvent être laissés en petits morceaux, si on préfère.

Remplacer les pommes de terre par des patates douces.

Remplacer le persil par de l'estragon frais haché.

mode de congélation

Laisser la soupe refroidir complètement avant de la verser dans un contenant rigide allant au congélateur. Couvrir, sceller et étiqueter. Se conserve jusqu'à 3 mois. Laisser décongeler et réchauffer à feu doux jusqu'à ce qu'elle soit très chaude.

soupe froide *au* concombre *et à la* menthe

L'ail, en plus d'aider à réduire le cholestérol et la pression sanguine, comporte des propriétés antibactériennes et antifongiques. Le yogourt est une protéine facile à digérer, tandis que les concombres sont faibles en calories.

■ ingrédients

- 1 concombre anglais, épépiné, en dés
- 3 échalotes, hachées
- 1 grosse gousse d'ail, écrasée
- 150 ml (5 oz) de bouillon de légumes froid (voir recette à la page 20)
- 300 ml (10 oz) de yogourt nature
- 150 ml (5 oz) de yogourt nature faible en gras
- 30 à 45 ml (2 à 3 c. à soupe) de menthe fraîche, hachée
- Sel de mer
- Poivre noir, fraîchement moulu
- Brins de menthe fraîche, pour garnir

pour *4 personnes*
préparation *10 minutes, et le temps de réfrigération*

■ méthode

1 Mettre le concombre, les échalotes, l'ail et le bouillon dans un mélangeur ou un robot culinaire ; mélanger jusqu'à consistance presque lisse.

2 Ajouter les yogourts et mélanger jusqu'à consistance plutôt lisse. Verser dans un bol.

3 Incorporer la menthe hachée et bien saler et poivrer.

4 Couvrir et réfrigérer au moins 1 heure avant de servir.

5 Verser dans des bols et servir, garni de brins de menthe fraîche.

variantes

- *Remplacer la menthe par de l'estragon frais haché.*
- *Remplacer les échalotes par 1 petit oignon.*

soupes *et* entrées

salade *de* légumes grillés

 Le pissenlit ajoute des vitamines à la salade et est un diurétique naturel.

▌ ingrédients

- 8 échalotes, tranchées finement
- 2 courgettes, coupées en deux sur la largeur puis émincées
- 2 poivrons rouges, épépinés et tranchés
- 1 petite aubergine, émincée
- 4 tomates italiennes, coupées en deux
- 115 g ($^1/_4$ de lb) de feuilles de laitues vert foncé : épinards, petites feuilles de pissenlit et cresson
- 30 ml (2 c. à soupe) de persil frais, haché

pour la vinaigrette

- 45 ml (3 c. à soupe) d'huile d'olive
- Le jus d'un citron
- Sel de mer
- Poivre noir, fraîchement moulu

pour *4 à 6 personnes*
préparation *10 minutes*
cuisson *8 à 10 minutes*

▌ méthode

1 Préchauffer le gril du four à feu vif. Tapisser une grille avec du papier d'aluminium et y disposer les échalotes, les courgettes, les poivrons, l'aubergine et les tomates.

2 Dans un petit bol, fouetter ensemble l'huile, le jus de citron et l'assaisonnement. En badigeonner les légumes et les faire griller de 8 à 10 minutes, jusqu'à ce qu'ils soient cuits et tendres. Les retourner à mi-cuisson et badigeonner l'autre côté.

3 Répartir les feuilles de laitues dans quatre assiettes. Disposer les légumes grillés et chauds sur les feuilles et parsemer chaque portion de persil haché.

4 Servir immédiatement avec un verre de jus d'orange fraîchement pressé.

variantes

• Verser un filet de vinaigrette française (voir recette à la page 21) sur les légumes grillés juste avant de servir.

• Remplacer les tomates italiennes par des tomates rouges ou des tomates jaunes.

• Remplacer le jus de citron par du jus de lime.

• Remplacer le persil par des fines herbes ou de la ciboulette hachées.

soupes *et* entrées

compote *de* fruits exotiques

 Cette compote toute simple de fruits séchés et de jus de fruits est facile à réaliser et délicieuse. Excellente collation ou dessert.

■ ingrédients

- 350 g (³/4 de lb) de fruits exotiques séchés tels mangues, figues, ananas, abricots et pêches
- 200 ml (7 oz) de jus de pomme ou de raisin non sucré
- 200 ml (7 oz) de jus d'orange non sucré

pour *4 personnes*
préparation *5 minutes, et 4 heures de macération*

■ méthode

1 Mettre les fruits séchés dans un bol de service. Ajouter le jus de pomme ou de raisin, et le jus d'orange; remuer.
2 Couvrir et réfrigérer toute la nuit.
3 Servir accompagné de yogourt nature.

variantes

• *Cette compote peut être servie réchauffée. Sortir la compote du réfrigérateur et la mettre dans une casserole; porter à ébullition à feu doux. Retirer la casserole du feu et laisser refroidir légèrement; servir tiède.*
• *Hacher les fruits avant de les faire macérer dans les jus de fruits.*

salade *aux* cinq fruits

Les fruits frais sont importants pour la santé du système sanguin et du tube digestif. Ils regorgent d'antioxydants et de fibres.

■ ingrédients

- 300 ml (10 oz) de jus de raisin non sucré
- 300 ml (10 oz) de jus d'orange non sucré
- 1 petit melon
- 2 pêches mûres
- 2 pommes
- 115 g (¹/4 de lb) de raisin vert, sans pépins
- 175 g (6 oz) de framboises fraîches
- Brins de menthe fraîche, pour garnir

pour *6 personnes*
préparation *15 minutes, et 2 à 3 heures de macération*

■ méthode

1 Verser les jus de raisin et d'orange dans un bol de service et remuer.
2 Peler et épépiner le melon et couper la chair en dés. Peler et dénoyauter les pêches et hacher la chair. Ajouter le melon et les pêches aux jus de fruits.
3 Peler, parer et trancher ou hacher les pommes; ajouter aux jus de fruits avec le raisin et les framboises. Remuer délicatement.
4 Couvrir et réfrigérer de 2 à 3 heures avant de servir pour permettre aux saveurs de se mêler.
5 Garnir de brins de menthe fraîche et servir avec du yogourt nature.

variantes

• *Remplacer le melon par 1 petit ananas.*
• *Remplacer les pêches par des nectarines.*
• *Remplacer les pommes et les framboises par des poires et des fraises.*

desserts

les aliments *pour la* silhouette

Une saine alimentation fait une large part aux légumes et aux fruits, ainsi qu'aux glucides complexes comme le pain, les céréales, les pommes de terre, les légumineuses et les pâtes, et à des quantités moyennes de produits laitiers faibles en gras, d'œufs, de poulet, de poisson et de viande maigre. En consommant une variété d'aliments, vous pouvez bénéficier de tous les nutriments qu'il vous faut.

casserole *de* poulet *à* l'italienne

 Cuit sans la peau, le poulet est une excellente source de protéines, faible en gras saturés.

■ ingrédients

- 15 ml (1 c. à soupe) d'huile d'olive
- 4 escalopes de poulet, sans peau
- 350 g (³/₄ de lb) d'oignons perlés
- 1 gousse d'ail, écrasée
- 1 poivron rouge, épépiné et coupé en dés
- 225 g (¹/₂ lb) de petits champignons blancs
- 400 g (14 oz) de tomates en conserve, hachées
- 150 ml (5 oz) de bouillon de poulet (voir recette à la page 20)
- 150 ml (5 oz) de vin rouge
- 15 ml (1 c. à soupe) de thym frais, haché
- 15 ml (1 c. à soupe) d'origan frais, haché
- Sel de mer
- Poivre noir, fraîchement moulu
- Brins de fines herbes, pour garnir

pour *4 personnes*
préparation *15 minutes*
cuisson *1 ¹/₂ heure*

■ méthode

1 Préchauffer le four à 180 °C (350 °F).
2 Préchauffer l'huile dans une casserole à l'épreuve du feu et allant au four. Ajouter le poulet et faire saisir sur tous les côtés.
3 Ajouter le reste des ingrédients, sauf les brins de fines herbes; remuer. Porter à ébullition, en remuant de temps à autre.
4 Couvrir et faire cuire environ 1 heure, jusqu'à ce que le poulet et les légumes soient cuits et tendres, en remuant une fois ou deux.
5 Retirer le poulet et les légumes à l'aide d'une cuiller à égoutter, et les disposer dans les assiettes chaudes; garder au chaud.

6 Porter la sauce à ébullition et faire bouillir à gros bouillons pendant quelques minutes jusqu'à ce qu'elle soit réduite et épaissie; en napper le poulet et les légumes.
7 Garnir de brins de fines herbes.
8 Servir avec des légumes frais, cuits comme des bouquets de brocoli et de chou-fleur.

variantes

- *Remplacer le poulet par de petites escalopes de dindon.*
- *Remplacer les oignons perlés par des échalotes.*
- *Remplacer le vin rouge par du vin blanc ou du jus de pomme non sucré.*

mode de congélation

Laisser refroidir complètement avant de mettre dans un contenant rigide allant au congélateur. Couvrir, sceller et étiqueter. Se conserve jusqu'à 3 mois. Laisser décongeler complètement et bien réchauffer dans un four moyennement chaud.

viandes *et* volailles

aiglefin *à la* provençale

 Le poisson est un aliment de protéine entière, riche en sélénium, en magnésium et en acides gras essentiels oméga-3.

■ ingrédients

- 1 oignon, tranché
- 1 gousse d'ail, écrasée
- 1 poivron rouge, épépiné et tranché
- 1 poivron jaune, épépiné et tranché
- 2 courgettes, tranchées
- 400 g (14 oz) de tomates en conseve, hachées
- Sel de mer
- Poivre noir, fraîchement moulu
- 4 filets d'aiglefin, d'environ 175 g (6 oz) chacun
- Le jus d'un gros citron
- 30 ml (2 c. à soupe) de persil frais, haché
- 30 ml (2 c. à soupe) de basilic frais, haché
- 55 g (2 oz) d'olives noires
- Brins de fines herbes, pour garnir

pour *4 personnes*
préparation *10 minutes*
cuisson *20 minutes*

■ méthode

1 Préchauffer le four à 180 °C (350 °F).

2 Mettre l'oignon, l'ail, les poivrons, les courgettes, les tomates et l'assaisonnement dans une casserole et remuer. Couvrir et porter à ébullition ; baisser le feu et laisser mijoter environ 20 minutes, en remuant de temps à autre.

3 Entre-temps, disposer les filets de poisson dans un plat peu profond allant au four, les arroser de jus de citron et parsemer de persil haché. Couvrir et faire cuire de 15 à 20 minutes, jusqu'à ce que la chair s'effeuille sous la pression d'une fourchette.

4 Incorporer le basilic haché à la sauce aux légumes.

5 Disposer les filets d'aiglefin dans des assiettes de service chaudes, les napper de sauce aux légumes et parsemer d'olives. Garnir de brins de fines herbes.

6 Servir chauds avec des légumes cuits comme des haricots verts et de mini-épis de maïs.

variantes

- *Utiliser n'importe quel autre poisson blanc à chair ferme.*
- *Remplacer le jus de citron par le jus de 2 limes.*
- *Remplacer les courgettes par 1 aubergine.*

poissons *et* fruits de mer

côtelettes d'agneau grillées
avec salsa *aux* tomates italiennes

Les tomates sont particulièrement riches en vitamine C, en lycopène et en d'autres caroténoïdes, ainsi qu'en fibres alimentaires. On estime que ces nutriments ont des propriétés anticancérigènes.

ingrédients

- 700 g (1 1/2 lb) de tomates italiennes, pelées, épépinées et hachées

- 2 oignons verts, hachés

- 1 grosse gousse d'ail, écrasée

- 15 ml (1 c. à soupe) d'huile d'olive

- 15 ml (1 c. à soupe) de concentré de tomates séchées

- 1 à 2 c. à café (à thé) de vinaigre balsamique

- 30 ml (2 c. à soupe) de basilic frais, haché

- Sel de mer

- Poivre noir, fraîchement moulu

- 8 côtelettes d'agneau maigres

pour *4 personnes*
préparation *15 minutes, et 1 heure de macération*
cuisson *8 à 12 minutes*

méthode

1 Mettre les tomates, les oignons verts, l'ail, l'huile, le concentré de tomate, le vinaigre, le basilic et l'assaisonnement dans un bol; bien mélanger. Couvrir et laisser reposer à température de la pièce environ 1 heure, pour permettre aux saveurs de se mêler.

2 Préchauffer le gril du four à feu vif. Faire cuire les côtelettes sur une grille de 4 à 6 minutes de chaque côté.

3 Disposer les côtelettes chaudes dans des assiettes de service, accompagnées de salsa aux tomates.

4 Servir avec des légumes frais, cuits, comme des pommes de terre nouvelles, des pois et des petites carottes.

variantes

- *Remplacer les oignons verts par 2 échalotes.*

- *Remplacer le basilic par de la ciboulette ou de la coriandre hachées.*

- *Servir la salsa aux tomates avec d'autres viandes maigres grillées comme des escalopes de poulet ou de dindon.*

viandes *et* volailles

pavés *de* thon épicé cuits *au* four

 Le thon est une excellente source de protéines et une bonne source d'acides gras essentiels oméga-3.

▍ ingrédients

- 4 pavés de thon d'environ 175 g (6 oz) chacun
- 2 c. à café (à thé) de graines de coriandre
- 2 c. à café (à thé) de graines de cumin
- 1 c. à café (à thé) de piments rouges secs, écrasés
- 1 c. à café (à thé) de grains de poivre noir
- Sel de mer
- Le jus et le zeste finement râpé de 1 gros citron

pour *4 personnes*
préparation *10 minutes*
cuisson *20 minutes*

▍ méthode

1 Préchauffer le four à 190 °C (375 °F).

2 Découper quatre feuilles de papier parchemin suffisamment grandes pour contenir un pavé de thon. Y déposer les pavés.

3 Mettre les graines, les piments écrasés, les grains de poivre et le sel dans un mortier et les écraser légèrement à l'aide d'un pilon. Incorporer le zeste de citron.

4 Étaler le mélange d'épices sur les pavés et les arroser de jus de citron. Emballer chaque morceau de poisson et tourner les extrémités ; donne quatre papillotes.

5 Faire cuire les pavés sur une plaque à pâtisserie environ 20 minutes, jusqu'à ce que la chair s'effeuille sous les dents d'une fourchette.

6 Déposer les pavés dans leur papillote dans quatre assiettes de service chaudes et servir immédiatement accompagnés de légumes frais cuits comme des pommes de terre nouvelles, de mini-épis de maïs et des carottes.

variantes

- *Remplacer les pavés de thon par du saumon.*
- *Remplacer le citron par 1 grosse lime ou 1 petite orange.*
- *Remplacer les grains de poivre noir par un mélange de grains de poivre.*

poivrons farcis *de* riz *aux* herbes

 Le riz brun est une excellente source de magnésium, de fibres et d'une certaine quantité de vitamines B.

ingrédients

- 4 gros poivrons
- 15 ml (1 c. à soupe) d'huile d'olive
- 4 échalotes, hachées finement
- 1 gousse d'ail, écrasée
- 115 g ($^1/_4$ de lb) de champignons, hachés finement
- 1 courgette, hachée finement
- 175 g (6 oz) de riz brun, cuit
- 2 tomates, pelées, épépinées et hachées finement
- 55 g (2 oz) de noix de pin, hachées finement
- 115 g ($^1/_4$ de lb) d'olives noires, dénoyautées et hachées finement
- 30 ml (2 c. à soupe) de fines herbes mélangées, hachées
- Sel de mer
- Poivre noir, fraîchement moulu

pour *4 personnes*
préparation *25 minutes*
cuisson *35 à 40 minutes*

méthode

1 Préchauffer le four à 180 °C (350 °F).

2 Étêter les poivrons ; enlever et jeter les cœurs et les graines. Blanchir dans de l'eau bouillante pendant 4 minutes ; égoutter.

3 Faire chauffer l'huile dans une casserole. Y faire revenir les échalotes, l'ail, les champignons et la courgette 5 minutes, en remuant de temps à autre. Retirer du feu et incorporer le reste des ingrédients.

4 À l'aide d'une cuiller, farcir les poivrons avec le mélange de riz ; remettre les têtes de poivrons sur chacun. Disposer dans un plat peu profond, allant au four ; ajouter un peu d'eau. Couvrir d'un papier aluminium et faire cuire de 35 à 40 minutes, jusqu'à ce que les poivrons soient tendres.

5 Servir accompagnés d'une salade de laitues vert foncé.

variantes

- *Remplacer les noix de pin par des amandes ou des noisettes.*
- *Remplacer les échalotes par 1 poireau.*
- *Remplacer le riz par du couscous.*

légumes

rösti *de* pommes *de* terre, *de* poireau *et de* coriandre

Les pommes de terre sont riches en fibres alimentaires, en potassium et en vitamine C.

▌ ingrédients

- 700 g (1 $^1/_2$ lb) de pommes de terre, lavées, entières et non pelées
- 30 ml (2 c. à soupe) d'huile d'olive
- 2 poireaux, rincés et émincés
- 30 à 45 ml (2 à 3 c. à soupe) de coriandre fraîche, hachée
- Sel de mer
- Poivre noir, fraîchement moulu

pour *4 à 6 personnes*
préparation *15 minutes,*
et le temps de refroidissement
cuisson *20 à 25 minutes*

▌ méthode

1 Préchauffer le four à 215 °C (425 °F).

2 Graisser deux plaques à pâtisserie.

3 Faire cuire à demi les pommes de terre dans l'eau bouillante pendant 6 minutes. Égoutter et laisser refroidir légèrement.

4 Peler les pommes de terre refroidies et les râper grossièrement dans un bol. Réserver.

5 Faire chauffer l'huile dans une grande poêle antiadhésive. Y faire amollir les poireaux environ 5 minutes, en remuant de temps à autre. Retirer la poêle du feu.

6 Ajouter les poireaux, la coriandre et l'assaisonnement aux pommes de terre et remuer. Déposer à la cuiller 12 petits monceaux de la préparation sur les plaques à pâtisserie graissées.

7 Faire cuire de 20 à 25 minutes jusqu'à ce que les rösti soient bien dorés et croustillants.

8 Servir immédiatement accompagnés de légumes frais cuits tels des épinards et des tomates grillées.

variantes

- *Remplacer les poireaux par 2 oignons.*
- *Remplacer la coriandre par du persil, du basilic ou de l'estragon hachés.*

légumes

salade *de* tomates *et de* couscous *aux* pois

 Les tomates et les poivrons renferment beaucoup de vitamine C. Les tomates fournissent aussi du lycopène, un composé potentiellement anticancérigène.

ingrédients

- 225 g (¹/₂ lb) de couscous à cuisson rapide
- 225 g (¹/₂ lb) de pois frais ou surgelés
- 350 g (³/₄ de lb) de tomates cerises, coupées en deux
- 1 poivron jaune, épépiné et coupé en dés
- 6 à 8 oignons verts, hachés
- ¹/₂ concombre anglais, coupé en dés

pour la vinaigrette

- 150 ml (5 oz) de jus de tomate
- 1 gousse d'ail, écrasée
- 2 c. à café (à thé) de vinaigre balsamique
- ¹/₂ c. à café (à thé) de cassonade
- 30 ml (2 c. à soupe) de coriandre fraîche, hachée
- Sel de mer
- Poivre noir, fraîchement moulu

pour *4 à 6 personnes*
préparation *15 minutes,
et le temps de refroidissement
et de macération*
cuisson *10 à 15 minutes*

méthode

1 Faire tremper et cuire le couscous selon les directives sur l'emballage. Laisser refroidir; mettre dans un grand bol de service.

2 Faire cuire les pois dans l'eau bouillante de 3 à 5 minutes, jusqu'à ce qu'ils soient tendres. Bien égoutter, rincer à l'eau froide et égoutter à nouveau.

3 Incorporer les pois, les tomates, le poivron jaune, les oignons verts et le concombre dans le couscous.

4 Fouetter le reste des ingrédients dans un petit bol. Verser sur la salade de couscous et mélanger tous les ingrédients ensemble.

5 Couvrir et laisser reposer à la température de la pièce pendant 1 heure avant de servir, ou couvrir et réfrigérer pendant plusieurs heures avant de servir pour permettre aux saveurs de se mêler.

6 Servir accompagné d'une salade verte.

variantes

- *Remplacer le couscous par des pâtes. Les faire cuire dans une grande casserole d'eau bouillante légèrement salée pendant environ 8 à 10 minutes (ou faire cuire selon les directives sur l'emballage).*

- *Remplacer les tomates cerises par des tomates ordinaires ou italiennes.*

légumes

légumes rôtis *à* l'ail *et aux* fines herbes

 Les artichauts ajoutent de la saveur et de la texture, en plus de procurer un bon apport de bêta-carotène, d'acide folique et de la plupart des minéraux.

■ ingrédients

- 2 oignons, coupés en 8
- 4 courgettes, coupées en morceaux
- 1 poivron rouge, épépiné et coupé en gros morceaux
- 1 poivron jaune, épépiné coupé en gros morceaux
- 225 g (1/2 lb) de petits champignons blancs
- 175 g (6 oz) de mini-épis de maïs
- 2 gousses d'ail, hachées finement
- 30 ml (2 c. à soupe) d'huile d'olive
- 4 tomates, coupées en deux
- 400 g (14 oz) de cœurs d'artichauts, en conserve, rincés, égouttés et coupés en deux
- 30 à 45 ml (2 à 3 c. à soupe) de fines herbes mélangées, hachées
- Sel de mer
- Poivre noir, fraîchement moulu

pour *4 à 6 personnes*
préparation *15 minutes*
cuisson *30 à 35 minutes*

■ méthode

1 Préchauffer le four à 215 °C (425 °F).

2 Mettre les oignons, les courgettes, les poivrons, les champignons, les épis de maïs et l'ail dans une grande lèchefrite et bien mélanger. Verser l'huile et bien en enrober les légumes.

3 Faire cuire pendant 20 minutes, en remuant une seule fois.

4 Ajouter les tomates et les cœurs d'artichauts et remuer. Faire cuire pendant 10 à 15 minutes de plus jusqu'à ce que les légumes soient cuits et dorés sur le pourtour.

5 Parsemer les légumes d'herbes hachées et assaisonner. Remuer et servir chaud accompagnés d'une salade de feuilles vert foncé.

variantes

- *Utiliser un mélange de petits légumes.*
- *Remplacer les tomates ordinaires par 250 g (9 oz) de tomates cerises.*
- *Remplacer l'huile d'olive par de l'huile de sésame.*

légumes

sauté *de* carottes, *de* courgettes *et de* brocoli

 Les carottes et le brocoli sont d'excellentes sources de caroténoïdes.

■ ingrédients

- 30 ml (2 c. à soupe) d'huile d'olive
- 2 carottes, en julienne
- 2 courgettes, en julienne
- 225 g (^{1}/$_2$ lb) de petits bouquets de brocoli, coupés en deux
- 1 grosse gousse d'ail, hachée finement
- 1 morceau de 2,5 cm (1 po) de gingembre frais, pelé et haché finement ou râpé
- 115 g (^{1}/$_4$ de lb) de germes de haricots
- 15 ml (1 c. à soupe) de jus de citron frais
- 15 ml (1 c. à soupe) de sauce de soja légère
- Sel de mer
- Poivre noir, fraîchement moulu

pour *4 personnes*
préparation *15 minutes*
cuisson *5 à 7 minutes*

■ méthode

1 Faire chauffer l'huile dans un wok ou une grande poêle antiadhésive. Y faire revenir les carottes, les courgettes, le brocoli, l'ail et le gingembre à feu vif de 4 à 5 minutes.

2 Ajouter les germes de haricots, le jus de citron et la sauce de soja et faire revenir de 1 à 2 minutes, jusqu'à ce que les légumes soient cuits.

3 Saler et poivrer au goût et servir chaud accompagné de tomates et de poivrons grillés.

variantes

- *Remplacer les bouquets de brocoli par des bouquets de chou-fleur ou des champignons blancs tranchés.*
- *Remplacer les courgettes par 115 g (^{1}/$_4$ de lb) d'épinards émincés.*
- *Remplacer les citrons par du xérès sec.*
- *Remplacer l'huile d'olive par de l'huile de sésame.*

légumes

compote *de* légumes cuits *au* four

 Cette compote de légumes renferme une variété de nutriments dont du bêta-carotène (pour la vitamine A), de la vitamine C, du sélénium et du fer.

ingrédients

- 400 g (14 oz) de tomates en conserve, hachées
- 2 c. à café (à thé) d'herbes de Provence, séchées
- Sel de mer
- Poivre noir, fraîchement moulu
- 1 oignon, émincé
- 2 poireaux, rincés et émincés
- 4 branches de céleri, hachées
- 1 poivron rouge, épépiné et tranché
- 1 poivron jaune, épépiné et tranché
- 1 petite aubergine, coupée en tranches épaisses
- 2 courgettes, tranchées
- 2 carottes, émincées
- 115 g (¼ de lb) de petits champignons blancs
- Brins de fines herbes, pour garnir

pour *4 à 6 personnes*
préparation *15 minutes*
cuisson *1 heure*

méthode

1 Préchauffer le four à 190 °C (375 °F).

2 Mettre les tomates, les herbes séchées et l'assaisonnement dans une grande casserole allant au four et mélanger. Ajouter le reste des ingrédients.

3 Couvrir et faire cuire pendant environ 1 heure jusqu'à ce que les légumes soient tendres, en remuant une fois ou deux.

4 Garnir de brins de fines herbes et servir chaude, seule ou accompagnée d'une salade mélangée.

variantes

- *Remplacer l'oignon par 6 échalotes.*
- *Remplacer les carottes par 175 g (6 oz) de rutabaga ou de navet en dés.*
- *Remplacer les petits champignons blancs par de mini-épis de maïs.*

mode de congélation

Laisser refroidir complètement avant de mettre dans un contenant rigide allant au congélateur. Couvrir, sceller et étiqueter. Se conserve jusqu'à 3 mois. Laisser décongeler complètement et bien réchauffer dans un four moyennement chaud.

légumes

cari *de* légumes

 Les légumes contiennent de nombreux nutriments, dont du bêta-carotène (pour la vitamine A), de la vitamine C, du potassium et des fibres alimentaires. L'huile d'olive extravierge est un gras monoinsaturé.

■ ingrédients

- 15 ml (1 c. à soupe) d'huile d'olive
- 1 gros oignon, tranché
- 2 gousses d'ail, hachées finement
- 1 petit piment rouge frais, haché finement
- 1 kg (2 1/4 lb) d'un mélange de légumes frais parés incluant des pommes de terre, du rutabaga, du navet, des carottes et du panais en dés, et de petits bouquets de chou-fleur et des pois entiers
- 2 c. à café (à thé) de coriandre moulue
- 2 c. à café (à thé) de cumin moulu
- 1 1/2 c. à café (à thé) de curcuma moulu
- 400 g (14 oz) de tomates en conserve, hachées
- 150 ml (5 oz) de bouillon de légumes (voir recette à la page 20)
- 150 ml (5 oz) de lait de coco
- Sel de mer
- Poivre noir, fraîchement moulu
- 15 ml (1 c. à soupe) de fécule de maïs
- 30 ml (2 c. à soupe) de coriandre fraîche, hachée, pour garnir

pour *4 à 6 personnes*
préparation *15 minutes*
cuisson *35 à 50 minutes*

■ méthode

1 Faire chauffer l'huile dans une poêle. Y faire cuire l'oignon, l'ail et le piment rouge pendant 5 minutes.
2 Incorporer le reste des ingrédients, sauf la fécule de maïs et la coriandre fraîche ; baisser le feu et laisser mijoter de 30 à 45 minutes, jusqu'à ce que les légumes soient tendres, en remuant de temps à autre.
3 Mélanger la fécule de maïs à 60 ml (1/4 de tasse) d'eau et incorporer au cari, en remuant continuellement ; laisser mijoter pendant 2 minutes.
4 Servir le cari sur un lit de couscous ou de riz brun. Garnir de coriandre hachée.

variantes

- *Remplacer les épices moulues et le piment rouge par 3 à 4 c. à café (à thé) de cari.*
- *Remplacer l'oignon par 8 échalotes.*
- *Remplacer le lait de coco par une plus grande quantité de bouillon.*
- *Pour obtenir un cari plus relevé, ajouter plus d'épices moulues, au goût.*

mode de congélation

Laisser refroidir complètement avant de mettre dans un contenant rigide allant au congélateur. Couvrir, sceller et étiqueter. Se conserve jusqu'à 3 mois. Laisser décongeler complètement et réchauffer dans une casserole, à feu doux.

légumes

les aliments *pour la* peau *et les* ongles

Pour une peau et des ongles en santé, le corps doit absorber de toutes les vitamines, du calcium, du fer, du sélénium et du zinc. Le complexe vitaminique B est essentiel pour réparer et régénérer les tissus de la peau. Parmi les signes de carence : fissures ou plaies autour de la bouche et du nez. La vitamine C sert à la fabrication de collagène, un élément indispensable de protection contre les infections. Les signes d'une carence en vitamine C sont les gencives qui saignent, des blessures qui ne guérissent pas et des capillaires éclatés. Des ongles pâles et de forme concave et une peau qui démange peuvent indiquer une carence en fer.

soupe *de* cresson

 Le cresson est un excellent aliment pour la peau, riche en caroténoïdes et en vitamine C.

■ ingrédients

- 15 ml (1 c. à soupe) d'huile d'olive
- 1 oignon, haché
- 225 g (¹/₂ lb) de pommes de terre, coupées en dés
- 3 branches de céleri, hachées finement
- 225 g (¹/₂ lb) de cresson, haché grossièrement
- 600 ml (2 ¹/₃ tasses) de bouillon de légumes (voir recette à la page 20)
- 300 ml (10 oz) de lait
- Sel de mer
- Poivre noir, fraîchement moulu
- Petits brins de cresson, pour garnir

pour *4 personnes*
préparation *15 minutes*
cuisson *20 à 25 minutes*

■ méthode

1 Faire chauffer l'huile dans une grande casserole. Y faire cuire l'oignon, les pommes de terre et le céleri à feu doux 5 minutes, en remuant de temps à autre.

2 Ajouter le cresson haché, le bouillon, le lait et l'assaisonnement ; bien mélanger. Couvrir et porter à ébullition ; baisser le feu et laisser mijoter de 15 à 20 minutes, en remuant de temps à autre, jusqu'à ce que les légumes soient tendres.

3 Retirer la casserole du feu. Laisser la soupe refroidir légèrement avant de la réduire en purée au mélangeur ou au robot culinaire jusqu'à consistance lisse.

4 Verser dans la casserole rincée et faire bien réchauffer à feu doux, en remuant de temps à autre.

5 Verser dans des bols à soupe chauds et garnir de petits brins de cresson.

6 Servir accompagnée de pain ou de pains mollets de blé entier (complet).

variantes

- *Pour une délicieuse soupe au brocoli, remplacer le cresson par 350 g (³/₄ de lb) de bouquets de brocoli.*
- *Remplacer les pommes de terre par des patates douces.*
- *Remplacer l'oignon par 6 échalotes ou 1 poireau.*

soupes *et* entrées

salade *de* betteraves *et de* carottes râpées

 Les betteraves sont une excellente source d'acide folique, de vitamine C, de magnésium et de potassium.

ingrédients

- 350 g ($^3/_4$ de lb) de carottes
- 225 g ($^1/_2$ lb) de betteraves crues
- 115 ($^1/_4$ de lb) de feuilles de laitues foncées comme des épinards, du cresson, de la laitue rouge et de la bette à carde rouge
- 30 ml (2 c. à soupe) de fines herbes mélangées, hachées
- 25 à 55 g (1 à 2 oz) de noisettes rôties, hachées grossièrement

pour la vinaigrette

- 30 ml (2 c. à soupe) d'huile de noisette
- 15 ml (1 c. à soupe) d'huile d'olive
- Le jus d'un citron
- 15 ml (1 c. à soupe) miel
- 1 gousse d'ail, écrasée
- Sel de mer
- Poivre noir, fraîchement moulu

pour *4 personnes*
préparation *15 minutes*

méthode

1 Peler et râper grossièrement les carottes et les betteraves. Mettre dans un bol.

2 Ajouter les feuilles de laitues et le mélange d'herbes ; mélanger. Répartir la salade dans quatre assiettes de service.

3 Bien fouetter ensemble les huiles, le jus de citron, le miel, l'ail et l'assaisonnement dans un bol.

4 Verser la vinaigrette sur la salade et mélanger.

5 Parsemer la salade de noisettes.

6 Servir immédiatement avec des tranches épaisses de pain de blé entier (complet).

variantes

- *Remplacer le jus de citron par du jus de lime.*
- *Remplacer les betteraves par des courgettes.*
- *Remplacer les noisettes par des amandes ou des noix de Pécan.*

soupes *et* entrées

maquereau grillé *avec* relish *au* concombre

Les poissons gras comme le maquereau sont une bonne source de vitamines A, D et B, de sélénium et d'acides gras essentiels oméga-3, tous reconnus pour leurs bienfaits pour la peau et les ongles.

ingrédients

- 900 g (2 lb) de maquereaux de petite taille, évidés et nettoyés
- 30 ml (2 c. à soupe) d'huile d'olive
- Le jus d'une lime
- 1 c. à café (à thé) d'un mélange d'herbes séchées

pour la relish

- 1/2 concombre anglais, haché finement
- 2 échalotes, hachées finement
- 1 gousse d'ail, écrasée
- 150 g (5 1/2 oz) de yogourt nature
- 15 à 30 ml (1 à 2 c. à soupe) de menthe fraîche, hachée
- Sel de mer
- Poivre noir, fraîchement moulu

pour *4 à 6 personnes*
préparation *15 minutes*
cuisson *8 à 14 minutes*

méthode

1 Mettre le concombre, les échalotes, l'ail, le yogourt, la menthe et l'assaisonnement dans un bol; bien mélanger. Couvrir et laisser reposer.

2 Préchauffer le gril du four à feu vif. Couvrir une grille de papier aluminium et y déposer le maquereau.

3 Mettre l'huile, le jus de lime, les herbes séchées et l'assaisonnement dans un bol et bien mélanger. Badigeonner le maquereau entièrement de ce mélange à l'huile.

4 Faire griller le maquereau pendant environ 4 à 7 minutes de chaque côté, jusqu'à ce qu'il soit cuit.

5 Disposer les poissons dans des assiettes de service, accompagnés de relish au concombre.

6 Servir avec une pomme de terre au four et une salade verte croquante.

variantes

- *Remplacer le maquereau par un autre petit poisson gras.*
- *Remplacer la menthe par du basilic frais.*
- *Remplacer le jus de lime par du jus de citron ou d'orange.*
- *Remplacer les échalotes par 4 oignons verts.*

poissons *et* fruits de mer

poulet *au* citron rôti *à* l'orientale

 Le poulet est une bonne source de protéines et de vitamines B, des nutriments importants pour une peau et des cheveux sains.

■ ingrédients

- 15 ml (1 c. à soupe) de sauce de soja légère
- 15 ml (1 c. à soupe) de xérès sec
- Le jus et le zeste de 1 citron
- 2 échalotes, hachées
- 1 morceau de 5 cm (2 po) de gingembre frais, pelé et haché
- 30 ml (2 c. à soupe) de coriandre fraîche, hachée
- Sel de mer
- Poivre noir, fraîchement moulu
- 1 poulet entier de 1,5 kg (1 ^{3}/$_4$ lb)
- 1 citron entier, coupé en tranches épaisses
- 30 g (2 c. à soupe) de beurre fondu
- 300 ml (10 oz) de bouillon de poulet (voir recette à la page 20)

pour *4 personnes*
préparation *15 minutes*
cuisson *1 ^{1}/$_2$ heure*

■ méthode

1 Préchauffer le four à 200 °C (400 °F).

2 Réduire la sauce de soja, le xérès, le zeste et le jus de citron, les échalotes, le gingembre, la coriandre et l'assaisonnement en purée presque lisse au mélangeur ou au robot culinaire.

3 Soulever la peau du poulet et la détacher de la poitrine en évitant de la percer. Étaler la purée sous la peau de façon uniforme.

4 Mettre les tranches de citron dans la cavité du poulet.

5 Peser la volaille et calculer le temps de cuisson : 20 minutes par 450 g (1 lb), plus 20 minutes.

6 Déposer le poulet dans une rôtissoire et le badigeonner de beurre fondu. Verser le bouillon autour de la base du poulet.

7 Faire rôtir, à découvert, pendant environ 1 ^{1}/$_2$ heure (selon le poids), jusqu'à ce que le poulet soit tendre et que les jus soient clairs. Couvrir de papier d'aluminium une fois qu'il est bien doré.

8 Dépecer le poulet et servir accompagné de pommes de terre rôties, de carottes et de céleri braisés.

variantes

- *Pour obtenir un poulet au citron poché, suivre la recette qui précède, mais ne pas badigeonner la peau de beurre. Mettre le poulet dans une grande casserole et couvrir d'eau. Couvrir, porter à ébullition et laisser pocher pendant 50 à 60 minutes, jusqu'à ce que le poulet soit cuit et tendre. Couper en tranches et servir. Le liquide ayant servi à pocher le poulet peut être réduit pour obtenir une délicieuse sauce à servir avec le poulet.*
- *Remplacer le citron par 1 lime.*
- *Remplacer la coriandre par de l'estragon frais haché.*

viandes et volailles

sauté *de* dindon *et de* choux *de* Bruxelles

 Les graines de tournesol sont une source particulièrement bonne de vitamine E.

■ ingrédients

- 15 ml (1 c. à soupe) d'huile de sésame

- 350 g (³/4 de lb) d'escalopes de dindon, désossées, coupées en fines lanières

- 1 gousse d'ail, écrasée

- 225 g (¹/2 lb) de choux de Bruxelles, râpés

- 1 poivron rouge, épépiné et tranché

- 6 à 8 oignons verts, hachés

- 175 g (6 oz) de champignons blancs, tranchés

- 30 ml (2 c. à soupe) de xérès sec

- 30 ml (2 c. à soupe) de sauce de soja légère

- Poivre noir, fraîchement moulu

- 15 à 30 ml (1 à 2 c. à soupe) de graines de tournesol

pour *4 personnes*
préparation *15 minutes*
cuisson *8 à 10 minutes*

■ méthode

1 Faire chauffer l'huile dans un wok ou une grande poêle antiadhésive. Y faire revenir le dindon et l'ail à feu vif 2 minutes.

2 Ajouter les choux et le poivron rouge et faire revenir pendant 2 à 3 minutes.

3 Ajouter les oignons verts et les champignons et faire revenir à feu vif pendant 2 à 3 minutes de plus.

4 Ajouter le xérès, la sauce de soja et le poivre noir; faire revenir jusqu'à ce que le mélange soit très chaud et que le dindon et les légumes soient cuits et tendres.

5 Parsemer le dindon de graines de tournesol.

6 Servir avec du riz brun ou des nouilles de riz.

variantes

• Remplacer le dindon par des poitrines de poulet ou de l'agneau maigre.

• Remplacer les choux de Bruxelles par des courgettes ou des carottes.

• Remplacer le xérès par du jus de pomme non sucré.

patates douces rôties

Les patates douces à la chair rouge sont riches en bêta-carotène (que le corps transforme en vitamine A), en potassium et en vitamine C, tous d'excellents éléments nutritifs pour la peau et les ongles.

ingrédients

- 1 kg (2 ¼ lb) de patates douces à chair rouge
- 30 à 45 ml (2 à 3 c. à soupe) d'huile d'olive
- 1 grosse gousse d'ail, hachée finement
- 15 à 30 ml (1 à 2 c. à soupe) de romarin frais, haché
- Sel de mer
- Poivre noir, fraîchement moulu

pour *4 personnes*
préparation *15 minutes*
cuisson *45 minutes*

méthode

1 Préchauffer le four à 215 °C (425 °F).

2 Peler les patates. Les couper en gros morceaux et les mettre dans une casserole d'eau froide légèrement salée. Couvrir, porter à ébullition, et laisser bouillir pendant 2 minutes. Bien égoutter.

3 Faire chauffer l'huile sur une plaque à rôtir, au four, pendant 3 à 4 minutes.

4 Ajouter les patates, l'ail, le romarin et l'assaisonnement; retourner les patates pour bien les enrober d'huile.

5 Faire rôtir les patates pendant environ 45 minutes, jusqu'à ce qu'elles soient dorées et croustillantes, en les tournant une ou deux fois. Égoutter tout excès d'huile après environ 35 minutes.

6 Servir comme accompagnement à une viande ou un poisson grillés, avec des légumes cuits comme des bouquets de brocoli et de chou-fleur.

variantes

- *Remplacer les patates douces par du panais ou du céleri-rave.*
- *Remplacer le romarin par du thym ou de la coriandre frais.*

légumes

salade *de* riz *aux* fruits *et aux* noix

Les noix du Brésil et les amandes sont d'excellents aliments pour la peau grâce à leur teneur élevée en potassium, en magnésium, en sélénium, en fer et en zinc.

■ ingrédients

- 225 g ($^1/_2$ lb) de riz brun
- 1 poivron jaune, épépiné et coupé en dés
- 6 à 8 oignons verts, hachés
- 2 pommes à pelure rouge
- 175 g (6 oz) d'abricots séchés, hachés
- 115 g ($^1/_4$ de lb) de raisins dorés
- 115 g ($^1/_4$ de lb) de raisins secs
- 85 g (3 oz) de noix du Brésil, hachées grossièrement
- 85 g (3 oz) d'amandes, hachées grossièrement

pour la vinaigrette

- 150 ml (5 oz) de jus d'orange non sucré
- 30 ml (2 c. à soupe) d'huile d'olive
- 15 ml (1 c. à soupe) de moutarde à l'ancienne
- 15 ml (1 c. à soupe) de vinaigre balsamique
- 30 ml (2 c. à soupe) de persil frais, haché
- Sel de mer
- Poivre noir, fraîchement moulu

pour *6 personnes*
préparation *15 minutes*
cuisson *30 minutes*

■ méthode

1 Faire cuire le riz jusqu'à ce qu'il soit tendre. Rincer sous de l'eau froide et égoutter.

2 Mettre le riz froid dans un bol de service. Ajouter le poivron, les oignons verts, les pommes, les abricots, les raisins dorés, les raisins secs et les noix; bien mélanger.

3 Fouetter ensemble tous les ingrédients de la vinaigrette.

4 Verser la vinaigrette sur la salade de riz et mélanger.

5 Servir avec une viande maigre grillée ou du poisson au four.

variantes

- *Remplacer les abricots par des poires, des pêches ou des figues séchées.*
- *Remplacer le jus d'orange par du jus de pomme ou de raisin non sucrés.*
- *Utiliser un mélange de riz brun et de riz sauvage.*
- *Ajouter quelques graines de citrouille crues pour un apport d'acides gras essentiels et de fer.*

légumes

poires pochées *avec* sauce *au* cassis

 Le cassis contient différents antioxydants, dont une grande quantité de vitamine C.

ingrédients

- 300 ml (10 oz) de jus de pomme ou de raisin non sucrés
- 85 g (3 oz) de cassonade foncée
- 6 poires mûres, pelées et entières avec la queue
- Le zeste d'un citron
- 1 bâton de cannelle, cassé en deux
- 6 clous de girofle entiers
- 225 g (1/2 lb) de cassis frais, ou surgelé et décongelé
- 2 c. à café (à thé) d'arrow-root
- 30 ml (2 c. à soupe) de crème ou de liqueur de cassis
- Brins de menthe fraîche, pour garnir

pour *6 personnes*
préparation *10 minutes*
cuisson *40 minutes*

méthode

1 Mettre le jus de pomme ou de raisin et la cassonade dans une casserole et faire chauffer à feu doux jusqu'à ce que la cassonade soit dissoute, en remuant continuellement.

2 Ajouter les poires, le zeste de citron, le bâton de cannelle et les clous de girofle et remuer. Couvrir et porter à ébullition ; réduire le feu et laisser mijoter pendant 15 minutes, jusqu'à ce que les poires soient tendres.

3 À l'aide d'une cuiller à égoutter, retirer les poires et les disposer dans une assiette de service. Couvrir et garder au chaud.

4 Retirer et jeter le zeste de citron, le bâton de cannelle et les clous.

5 Ajouter le cassis à la casserole. Couvrir et porter à ébullition ; baisser le feu et laisser amollir pendant environ 10 minutes, en remuant continuellement.

6 Mélanger l'arrow-root et la crème ou la liqueur de cassis et ajouter à la sauce au cassis. Faire chauffer à feu doux, en remuant continuellement, jusqu'à ébullition et épaississement.

7 Napper les poires de la sauce au cassis et garnir de brins de menthe fraîche.

8 Servir tièdes ou froides avec du yogourt nature ou du yogourt glacé maison.

variantes

- *Remplacer les poires par des pêches fermes et mûres ou des nectarines.*
- *Remplacer les cassis par des framboises ou des bleuets (myrtilles).*
- *Ajouter 1 c. à café (à thé) d'arrow-root de plus pour obtenir une sauce plus onctueuse.*
- *Parsemer de germe de blé cru ou de levure de bière pour un apport de vitamine B.*

desserts

nectarines grillées *au* miel *et aux* épices

 Les nectarines et les pêches sont très bonnes pour la peau compte tenu de leur teneur élevée en vitamine C.

▮ ingrédients

- 4 grosses nectarines mûres

- 30 ml (2 c. à soupe) de jus d'orange non sucré

- 30 ml (2 c. à soupe) de miel

- 1 à 2 c. à café (à thé) de cannelle moulue

pour *2 à 4 personnes*
préparation *10 minutes*
cuisson *4 à 5 minutes*

▮ méthode

1 Mettre les nectarines dans une grande casserole d'eau bouillante pendant 15 secondes. Les retirer à l'aide d'une cuiller à égoutter et les plonger dans un bol d'eau froide. Les égoutter et les peler à l'aide d'un couteau affûté.

2 Préchauffer le gril du four à feu vif. Couper les nectarines en deux et les dénoyauter; les couper en quartiers ou en tranches. Déposer les nectarines sur une grille couverte de papier d'aluminium.

3 Mettre le jus d'orange, le miel et la cannelle dans un bol et mélanger; en arroser les nectarines.

4 Faire griller les nectarines pendant environ 4 à 5 minutes, jusqu'à ce qu'elles soient chaudes, les tournant une ou deux fois. Les servir chaudes, accompagnées de yogourt nature, de crème fraîche ou de crème sûre (aigre) légère.

variantes

- *Remplacer les nectarines par des pêches.*
- *Remplacer la cannelle par du gingembre moulu.*
- *Remplacer le miel par du sirop d'érable.*

desserts

pain *aux* bananes *et aux* dattes

 Les bananes contiennent bon nombre de nutriments essentiels à la peau et aux ongles.

ingrédients

- 225 g (2 tasses) de farine de blé entier (complète)
- 2 c. à café (à thé) de poudre levante
- 1 c. à café (à thé) de muscade moulue
- 115 g (¹/2 tasse) de beurre
- 100 g (¹/2 tasse) de cassonade pâle
- 115 g (4 oz) de miel épais
- 2 œufs moyens, battus
- 2 grosses bananes, pelées et pilées avec un peu de jus de citron
- 115 g (¹/4 de lb) de dattes séchées, hachées finement

pour *8 à 10 personnes*
préparation *20 minutes*
cuisson *1 à 1 ¹/4 heure*

méthode

1 Préchauffer le four à 180 °C (350 °F). Graisser et tapisser un moule à pain de 900 g (2 lb).

2 Mettre la farine, la poudre levante et la muscade dans un bol. Y couper le beurre jusqu'à l'obtention d'une consistance de chapelure.

3 Ajouter la cassonade, le miel, les œufs, les bananes et les dattes et bien battre jusqu'à l'obtention d'un mélange homogène. Verser dans le moule graissé.

4 Faire cuire pendant 1 à 1 ¹/4 heure, jusqu'à ce que le pain ait bien levé et soit ferme au toucher.

5 Laisser tiédir légèrement dans le moule avant de le démouler sur une grille pour y refroidir.

6 Servir en tranches tel quel ou avec un peu de beurre, de la confiture ou du miel.

variantes

- *Badigeonner le dessus du pain cuit et froid avec du miel chauffé et saupoudrer de sucre demerara avant de servir.*
- *Remplacer le miel par du sirop d'érable.*
- *Ajouter le zeste râpé d'un citron ou d'une orange à la pâte avant de la verser dans le moule.*
- *Remplacer les dattes par des noix de Grenoble ou des abricots séchés, hachés.*

mode de congélation

Laisser refroidir complètement avant de l'emballer dans du papier d'aluminium ou sceller dans un sac à congélateur et étiqueter. Se congèle jusqu'à 3 mois. Décongeler entièrement pendant plusieurs heures à la température de la pièce avant de servir.

desserts

peau *de* pêche

Éclairez votre visage avec ce menu conçu pour la peau et les ongles. Les carences vita-miniques et minérales se traduisent par un teint blafard, une peau terne et des ongles cassants. Consommez les bons aliments pour avoir des ongles en santé et un teint radieux !

salade *de* betteraves *et de* carottes râpées

Les betteraves sont une excellente source d'acide folique, de vitamine C, de magnésium et de potassium.

■ ingrédients

- 350 g (³/4 de lb) de carottes
- 225 g (¹/2 lb) de betteraves crues
- 115 (¹/4 de lb) de feuilles de laitues foncées comme des épinards, du cresson, de la laitue rouge et de la bette à carde rouge
- 30 ml (2 c. à soupe) de fines herbes mélangées, hachées
- 25 à 55 g (1 à 2 oz) de noisettes rôties, hachées grossièrement

pour la vinaigrette

- 30 ml (2 c. à soupe) d'huile de noisette
- 15 ml (1 c. à soupe) d'huile d'olive
- Le jus d'un citron
- 15 ml (1 c. à soupe) miel
- 1 gousse d'ail, écrasée
- Sel de mer
- Poivre noir, fraîchement moulu

pour *4 personnes*
préparation *15 minutes*

■ méthode

1 Peler et râper grossièrement les carottes et les betteraves. Mettre dans un bol.

2 Ajouter les feuilles de laitues et le mélange d'herbes ; mélanger. Répartir la salade dans quatre assiettes de service.

3 Bien fouetter ensemble les huiles, le jus de citron, le miel, l'ail et l'assaisonnement dans un bol.

4 Verser la vinaigrette sur la salade et mélanger.

5 Parsemer la salade de noisettes.

6 Servir immédiatement avec des tranches épaisses de pain de blé entier (complet).

sauté *de* dindon *et de* choux *de* Bruxelles

Les graines de tournesol sont une source particulièrement bonne de vitamine E.

■ ingrédients

- 15 ml (1 c. à soupe) d'huile de sésame
- 350 g (³/4 de lb) d'escalopes de dindon, désossées, coupées en fines lanières
- 1 gousse d'ail, écrasée
- 225 g (¹/2 lb) de choux de Bruxelles, râpés
- 1 poivron rouge, épépiné et tranché
- 6 à 8 oignons verts, hachés
- 175 g (6 oz) de champignons blancs, tranchés
- 30 ml (2 c. à soupe) de xérès sec
- 30 ml (2 c. à soupe) de sauce de soja légère
- Poivre noir, fraîchement moulu
- 15 à 30 ml (1 à 2 c. à soupe) de graines de tournesol

pour *4 personnes*
préparation *15 minutes*
cuisson *8 à 10 minutes*

méthode

1 Faire chauffer l'huile dans un wok ou une grande poêle antiadhésive. Y faire revenir le dindon et l'ail à feu vif 2 minutes.

2 Ajouter les choux et le poivron rouge et faire revenir pendant 2 à 3 minutes.

3 Ajouter les oignons verts et les champignons et faire revenir à feu vif pendant 2 à 3 minutes de plus.

4 Ajouter le xérès, la sauce de soja et le poivre noir; faire revenir jusqu'à ce que le mélange soit très chaud et que le dindon et les légumes soient cuits et tendres.

5 Parsemer le dindon de graines de tournesol.

6 Servir avec du riz brun ou des nouilles de riz.

poires pochées
avec sauce *au* cassis

Le cassis contient différents antioxydants, dont une grande quantité de vitamine C.

ingrédients

- 300 ml (10 oz) de jus de pomme ou de raisin non sucrés
- 85 g (3 oz) de cassonade foncée
- 6 poires mûres, pelées et entières avec la queue
- Le zeste d'un citron
- 1 bâton de cannelle, cassé en deux
- 6 clous de girofle entiers
- 225 g (1/2 lb) de cassis frais, ou surgelé et décongelé
- 2 c. à café (à thé) d'arrow-root
- 30 ml (2 c. à soupe) de crème ou de liqueur de cassis
- Brins de menthe fraîche, pour garnir

pour *6 personnes*
préparation *10 minutes*
cuisson *40 minutes*

méthode

1 Mettre le jus de pomme ou de raisin et la cassonade dans une casserole et faire chauffer à feu doux jusqu'à ce que la cassonade soit dissoute, en remuant continuellement.

2 Ajouter les poires, le zeste de citron, le bâton de cannelle et les clous de girofle et remuer. Couvrir et porter à ébullition; réduire le feu et laisser mijoter pendant 15 minutes, jusqu'à ce que les poires soient tendres.

3 À l'aide d'une cuiller à égoutter, retirer les poires et les disposer dans une assiette de service. Couvrir et garder au chaud.

4 Retirer et jeter le zeste de citron, le bâton de cannelle et les clous.

5 Ajouter le cassis à la casserole. Couvrir et porter à ébullition; baisser le feu et laisser amollir pendant environ 10 minutes, en remuant continuellement.

6 Mélanger l'arrow-root et la crème ou la liqueur de cassis et ajouter à la sauce au cassis. Faire chauffer à feu doux, en remuant continuellement, jusqu'à ébullition et épaississement.

7 Napper les poires de la sauce au cassis et garnir de brins de menthe fraîche.

8 Servir tièdes ou froides avec du yogourt nature ou du yogourt glacé maison.

les aliments *pour les* cheveux

Vos cheveux témoignent de votre état de santé et de votre bien-être. Une carence en vitamine A peut être la cause de cheveux secs. Si c'est le cas, veillez à inclure dans votre alimentation de bonnes quantités de carottes, de légumes-feuillles vert foncé, de patates douces et d'abricots. La perte anormale de cheveux et un cuir chevelu sec peuvent indiquer une carence en zinc grave. Les aliments riches en zinc sont, entre autres, les fruits de mer, la volaille, les œufs, les grains et les légumineuses.

soupe épicée *aux* carottes *et à* l'orge

 Les carottes fournissent du bêta-carotène, qui se transforme en vitamine A, un nutriment important pour une chevelure saine.

▌ ingrédients

- 15 ml (1 c. à soupe) d'huile d'olive
- 1 oignon, haché finement
- 450 g (1 lb) de carottes, hachées
- 2 branches de céleri, hachées
- 55 g (2 oz) d'orge perlé
- 2 c. à café (à thé) chacun de cumin et de coriandre moulus
- 1 c. à café (à thé) de poudre de piment rouge (facultatif)
- 850 ml (3 $^1/_3$ tasses) de bouillon de légumes (voir recette à la page 20)
- Sel de mer
- Poivre noir, fraîchement moulu
- Persil plat frais, pour garnir

pour *4 personnes*
préparation *10 minutes*
cuisson *1 $^1/_4$ heure*

▌ méthode

1 Faire chauffer l'huile dans une grande casserole. Y faire cuire l'oignon 5 minutes, en remuant de temps à autre.

2 Ajouter les carottes, le céleri, l'orge perlé et les épices moulues. Faire cuire 1 minute, en remuant continuellement. Incorporer le bouillon.

3 Couvrir et porter à ébullition; baisser le feu et laisser mijoter pendant environ 1 $^1/_4$ heure, en remuant de temps à autre, jusqu'à ce que l'orge perlé soit cuit et tendre. Saler et poivrer au goût.

4 Verser dans des bols à soupe chauffés et garnir de persil.

5 Servir la soupe accompagnée de pain de blé entier (complet).

variantes

- *Omettre l'orge, selon ses préférences. Faire cuire la soupe comme l'indique la recette pendant 45 minutes, la réduire en purée dans un mélangeur ou un robot culinaire jusqu'à l'obtention d'une crème lisse. Faire réchauffer avant de servir.*
- *Remplacer l'oignon par 1 gros poireau.*
- *Remplacer les carottes par du navets ou du rutabaga.*

mode de congélation

Laisser la soupe refroidir complètement avant de la verser dans un contenant rigide allant au congélateur. Couvrir, sceller et étiqueter. Se conserve jusqu'à 3 mois. Laisser décongeler et réchauffer à feu doux jusqu'à ce qu'elle soit très chaude.

entrée *de* melon *et de* crevettes

Les melons à la chair orangée sont les plus nutritifs. Ils sont riches en bêta-carotène.

ingrédients

- 2 petits melons à la chair orangée
- 60 ml ($^1/_4$ de tasse) de mayonnaise (voir recette à la page 21)
- 30 ml (2 c. à soupe) de yogourt nature
- 30 ml (2 c. à soupe) de persil frais, haché
- 1 c. à café (à thé) de zeste de citron finement râpé
- Sel de mer
- Poivre noir, fraîchement moulu
- 350 g ($^3/_4$ de lb) de crevettes cuites et décortiquées
- Brins de persil frais, pour garnir

pour *4 personnes*
préparation *15 minutes*

méthode

1 Couper les melons en deux et en retirer et jeter les graines. Disposer chaque moitié dans une assiette de service.
2 Mettre la mayonnaise, le yogourt, le persil haché, le zeste de citron et l'assaisonnement dans un bol. Incorporer les crevettes et bien mélanger.
3 Empiler le mélange de crevettes sur les moitiés de melon et garnir de brins de persil.
4 Servir avec des bâtonnets de pain de blé entier (complet) légèrement beurrés.

variantes

- *Remplacer les crevettes par de la chair de crabe effeuillée, ou du thon ou du saumon en conserve.*
- *Remplacer les melons par des avocats.*
- *Remplacer le persil par de la coriandre fraîche hachée.*
- *Remplacer le zeste de citron râpé par du zeste de lime.*

salade d'épinards *et* d'avocats

Les épinards sont une source riche d'antioxydants comme le bêta-carotène et la vitamine C.

ingrédients

- 175 g (6 oz) de petites feuilles d'épinard
- $^1/_2$ concombre anglais, tranché
- 4 branches de céleri, hachées
- 2 gros avocats mûrs
- Le jus d'un citron

pour la vinaigrette

- 60 ml ($^1/_4$ de tasse) d'huile de noisette ou d'olive
- 2 à 3 c. à café (à thé) de vinaigre balsamique
- 1 gousse d'ail, écrasée
- 1 c. à café (à thé) de miel
- 15 ml (1 c. à soupe) de persil frais, haché
- 15 ml (1 c. à soupe) de ciboulette fraîche, hachée
- Sel de mer
- Poivre noir, fraîchement moulu

pour *6 personnes*
préparation *15 minutes*

méthode

1 Mettre les feuilles d'épinard, le concombre et le céleri dans un bol.
2 Peler, dénoyauter et trancher ou hacher les avocats. Mélanger avec le jus de citron, ajouter à la salade et remuer délicatement.
3 Pour la vinaigrette, mettre tous les ingrédients dans un bol et les fouetter ensemble. Verser sur la salade et bien mélanger.
4 Servir immédiatement, accompagné de tranches épaisses de pain de blé entier (complet).

variantes

- *Remplacer le concombre par 2 courgettes.*
- *Remplacer le céleri par 1 petit poivron vert, épépiné et coupé en dés.*
- *Remplacer les avocats par 1 melon moyen à chair orangée.*

tagliatelles *au* saumon, *aux* courgettes *et aux* amandes

 Les amandes sont une bonne source de vitamines E et B2 ainsi que de minéraux comme le magnésium et le phosphore.

ingrédients

- 30 g (2 c. à soupe) de beurre
- 225 g (1/2 lb) de poireaux, rincés et émincés
- 225 g (1/2 lb) de courgettes, émincées
- 25 g (3 c. à soupe) de farine de blé entier (complète)
- 425 ml (15 oz) de bouillon de légumes (voir recette à la page 20)
- 150 ml (5 oz) de vin blanc sec
- 400 g (14 oz) de saumon en conserve, dans l'eau, égoutté et effeuillé
- 15 à 30 ml (1 à 2 c. à soupe) d'estragon frais, haché
- 1 trait de tabasco
- Sel de mer
- Poivre noir, fraîchement moulu
- 350 g (3/4 de lb) de tagliatelles
- 55 g (2 oz) d'amandes grillées, effilées
- Brins d'estragon frais, pour garnir

pour *4 personnes*
préparation *10 minutes*
cuisson *20 minutes*

méthode

1 Faire fondre le beurre dans une casserole et ajouter les poireaux et les courgettes. Couvrir et faire ramollir à feu doux pendant environ 10 minutes, en remuant de temps à autre.

2 Ajouter la farine et faire cuire à feu doux pendant 1 minute, en remuant. Ajouter graduellement le bouillon et le vin, ramener lentement à ébullition, en remuant continuellement, jusqu'à ce que la sauce épaississe. Laisser mijoter à feu doux pendant 2 minutes, en remuant.

3 Incorporer le saumon, l'estragon haché, le tabasco, et l'assaisonnement. Bien réchauffer, en remuant.

4 Faire cuire les tagliatelles dans une grande casserole d'eau bouillante légèrement salée selon les directives sur l'emballage.

5 Égoutter soigneusement les pâtes et les répartir dans des assiettes de service chaude. Déposer de la sauce au saumon sur les pâtes et parsemer d'amandes. Garnir de brins d'estragon frais.

6 Servir chaud accompagné d'une salade mélangée de feuilles vert foncé.

variantes

- *Remplacer les poireaux par 1 oignon.*
- *Remplacer le saumon par 1 boîte de thon.*
- *Remplacer l'estragon par du persil plat, ou de la coriandre, frais.*

poissons *et* fruits de mer

truite *au* four *au* citron *et aux* amandes

 Les poissons gras comme la truite fournissent de la vitamine A et D ainsi que des acides gras essentiels oméga-3, tous des nutriments favorables aux cheveux.

ingrédients

- 4 truites arc-en-ciel, d'environ 280 g (10 oz) chacune, évidées et nettoyées (tête et queue conservées)

- Le jus et le zeste finement râpé de 2 citrons

- 40 g (3 c. à soupe) de beurre fondu

- 45 ml (3 c. à soupe) de persil frais, haché

- Sel de mer

- Poivre noir, fraîchement moulu

- 55 g (2 oz) d'amandes effilées

pour *4 personnes*
préparation *10 minutes*
cuisson *20 à 25 minutes*

méthode

1 Préchauffer le four à 180 °C (350 °F).

2 Déposer les truites côte à côte dans un plat peu profond allant au four. Faire trois entailles en diagonale sur les deux côtés de chaque poisson.

3 Mélanger le zeste et le jus de citron, le beurre fondu, le persil et l'assaisonnement. Verser ce mélange sur les poissons. Parsemer d'amandes.

4 Couvrir le poisson de papier d'aluminium et faire cuire de 20 à 25 minutes, jusqu'à ce que la chair s'effeuille sous les dents d'une fourchette.

5 Servir chaud, accompagné de pommes de terre rissolées et de légumes frais cuits comme des pois et du chou vert émincé.

variantes

- *Remplacer la truite par du maquereau ou tout autre poisson.*

- *Remplacer les citrons par 2 limes ou 1 orange.*

- *Remplacer le persil par de la ciboulette ou de la coriandre, fraîches.*

poissons *et* fruits de mer

foies *de* poulet braisés *aux* pommes

 Le foie est une bonne source naturelle de vitamine A, d'acide folique et de fer, tous des nutriments essentiels pour des cheveux en santé.

ingrédients

- 15 ml (1 c. à soupe) d'huile d'olive
- 450 g (1 lb) de foies de poulet, tranchés
- 1 poireau, rincé et tranché
- 2 pommes, pelées, parées et émincées
- 10 g (1 c. à soupe) de fécule de maïs
- 150 ml (5 oz) de jus de pomme, non sucré
- 150 ml (5 oz) de bouillon de légumes (voir recette à la page 20)
- 15 ml (1 c. à soupe) de moutarde à l'ancienne
- 1 c. à café (à thé) d'herbes de Provence séchées
- Sel de mer
- Poivre noir, fraîchement moulu
- Brins de fines herbes, pour garnir

pour *4 à 6 personnes*
préparation *20 minutes*
cuisson *20 à 30 minutes*

méthode

1 Préchauffer le four à 190 °C (375 °F).

2 Faire chauffer l'huile dans une grande poêle antiadhésive. Ajouter les foies de poulet et faire cuire de 1 à 2 minutes, jusqu'à ce qu'ils soient scellés sur tous les côtés, en tournant une ou deux fois. À l'aide d'une cuiller à égoutter, les retirer et les mettre dans un plat allant au four. Couvrir et garder au chaud.

3 Ajouter le poireau à la poêle et laisser cuire à feu doux pendant 5 minutes, en remuant de temps à autre. Déposer le poireau sur les foies et étaler les tranches de pommes.

4 Mélanger la fécule de maïs avec le jus de pomme et verser dans le plat avec le bouillon. Porter à ébullition, en remuant continuellement, jusqu'à ce que la sauce soit légèrement épaisse. Laisser mijoter pendant 1 minute, en remuant.

5 Incorporer la moutarde, les fines herbes et l'assaisonnement ; verser la sauce sur les foies de poulet. Couvrir et faire cuire de 20 à 25 minutes, jusqu'à ce que les foies soient cuits et tendres.

6 Garnir de brins de fines herbes et servir avec des légumes frais cuits comme des pommes de terre nouvelles, des pois mange-tout et de petites courgettes.

variantes

- *Remplacer les pommes par des poires.*
- *Remplacer le jus de pomme par du jus de raisin, non sucré.*
- *Laisser la pelure sur les pommes, si l'on préfère.*

viandes *&* volailles

risotto *au* poulet *et aux* champignons sauvages

 Le riz brun, en plus de contenir des fibres alimentaires, est une excellente source de magnésium, de potassium, de vitamines B et de sélénium.

■ ingrédients

- 15 ml (1 c. à soupe) d'huile d'olive
- 225 g (¹/2 lb) de poitrine de poulet, désossée, sans peau, en cubes de 2,5 cm (1 po)
- 1 oignon, haché
- 1 grosse gousse d'ail, écrasée
- 3 branches de céleri, hachées
- 225 g (¹/2 lb) de champignons sauvages mélangés (shiitakes, pleurotes, etc) tranchés
- 175 g (6 oz) de petits pois surgelés
- 200 g (7 oz) de maïs en grains, en conserve, égouttés
- 225 g (¹/2 lb) de riz brun
- 425 ml (15 oz) de bouillon de poulet (voir recette à la page 20)
- 425 ml (15 oz) de vin blanc sec
- Sel de mer
- Poivre noir, fraîchement moulu
- 30 à 45 ml (2 à 3 c. à soupe) de fines herbes mélangées, hachées
- 25 g (1 oz) de parmesan, finement râpé

pour *4 à 6 personnes*
préparation *15 minutes*
cuisson *40 minutes*

■ méthode

1 Faire chauffer l'huile dans une grande casserole. Faire revenir le poulet à feu doux pendant environ 5 minutes, jusqu'à ce qu'il soit scellé de tous côtés, en remuant souvent.
2 Incorporer le reste des ingrédients, sauf les herbes et le parmesan.
3 Porter à ébullition ; baisser le feu et faire cuire à feu doux, à découvert, environ 35 minutes, jusqu'à ce que le riz soit tendre et le liquide presque entièrement absorbé, en remuant de temps à autre.
4 Incorporer les fines herbes et servir chaud, saupoudré de parmesan râpé.
5 Servir accompagné d'une salade de tomates, de poivron et d'oignon.

variantes

- *Remplacer le poulet par du dindon ou de l'agneau maigre.*
- *Remplacer les champignons sauvages par des champignons blancs.*
- *Remplacer les fines herbes par de l'estragon ou de la coriandre, frais.*

mode de congélation

Laisser refroidir complètement et mettre dans un contenant rigide allant au congélateur.
Couvrir, sceller et étiqueter. Se conserve jusqu'à 3 mois. Laisser décongeler complètement et faire réchauffer dans une casserole, à feu doux, en ajoutant un peu de bouillon, au besoin.

galettes *de* tofu *aux* carottes épicés

Le tofu est une excellente source de protéines, et regorge de calcium, de magnésium, d'acide folique et de fer, tous des nutriments indispensables aux cheveux.

■ ingrédients

- 30 ml (2 c. à soupe) d'huile d'olive
- 6 échalotes, hachées finement
- 175 g (6 oz) de carottes, hachées grossièrement
- 1 gousse d'ail, écrasée
- 1 1/2 c. à café (à thé) de coriandre moulue
- 1 1/2 c. à café (à thé) de cumin moulu
- 1 1/2 c. à café (à thé) de piment rouge en poudre
- 350 g (3/4 de lb) de tofu, pilé
- 55 g (2 oz) d'amandes, broyées
- 55 g (2 oz) de cheddar, finement râpé
- 15 ml (1 c. à soupe) de concentré de tomates séchées au soleil
- 15 ml (1 c. à soupe) de coriandre fraîche, hachée
- Sel de mer
- Poivre noir, fraîchement moulu

pour *4 personnes (deux galettes chacune)*
préparation *20 minutes*
cuisson *8 minutes*

■ méthode

1 Faire chauffer 15 ml (1 c. à soupe) d'huile dans une casserole et y faire revenir les échalotes, les carottes et l'ail à feu moyen 4 minutes, en remuant de temps à autre. Ajouter les épices moulues et faire cuire 1 minute, en remuant.

2 Mettre le mélange à la cuiller dans un bol. Ajouter le tofu, les amandes, le fromage, le concentré de tomate, la coriandre et l'assaisonnement ; bien mélanger. Laisser refroidir légèrement ; répartir ce mélange en huit portions et façonner chacune en galette.

3 Préchauffer le gril du four à feu vif. Badigeonner chaque galette de l'huile qui reste et déposer sur une grille au-dessus d'une lèchefrite.

4 Faire griller pendant environ 4 minutes de chaque côté, jusqu'à ce que les galettes soient cuites et légèrement dorées.

5 Servir chaudes, accompagnées de petits pains de blé entier (complets), de relish ou de chutney maison, et d'un mesclun.

variantes

- *Remplacer les carottes par des courgettes émincées.*
- *Remplacer les amandes par des noisettes.*

légumes

barres tendres *aux* fruits *et aux* noix

 Les fruits séchés et l'avoine fournissent des fibres alimentaires et quelques nutriments essentiels aux cheveux.

■ ingrédients
- 175 g (6 oz) de beurre
- 175 g (1 ¾ tasse) de cassonade pâle
- 45 ml (3 c. à soupe) de sirop d'érable
- 250 g (9 oz) de flocons d'avoine
- à café (à thé) de cannelle lue
- g (5 oz) de fruits séchés : s dorés, raisins secs, abricots ches hachées
- (3 oz) d'amandes et de ttes, hachées

e *16 barres*
aration *20 minutes*
on *20 à 25 minutes*

■ méthode
1 Préchauffer le four à 180 °C (350 °F).
2 Graisser légèrement un moule à gâteau de 18 × 25 cm (7 × 11 po).
3 Mettre le beurre, la cassonade et le sirop dans une casserole et faire chauffer à feu doux jusqu'à ce que le beurre soit fondu, en remuant de temps à autre. Retirer du feu.
4 Incorporer les flocons d'avoine, la cannelle, les fruits séchés et les noix.
5 Verser la préparation dans le moule et bien étaler. Cuire dans un four préchauffé pendant 20 à 25 minutes, ou jusqu'à ce que le dessus soit doré.
6 Couper en barres pendant que le plat est encore chaud et laisser refroidir complètement dans le moule.

variantes
- *Remplacer le sirop d'érable par du miel.*
- *Remplacer les amandes et les noisettes par des noix de cajou et du Brésil.*

mode de congélation
Laisser refroidir complètement et emballer dans du papier aluminium, ou dans des sacs à congélateur et étiqueter. Couvrir, sceller et étiqueter. Se conserve jusqu'à 3 mois. Laisser décongeler pendant plusieurs heures à la température de la pièce avant de servir.

desserts

compote *de* bananes *et* d'abricots

 Les bananes, faciles à digérer, sont une bonne source de potassium et de magnésium.

■ ingrédients

- 200 ml (7 oz) de jus de pomme, non sucré
- 200 ml (7 oz) de jus d'orange, non sucré
- 60 ml (^{1}/4 de tasse) de brandy
- 30 ml (2 c. à soupe) de miel
- 225 g (^{1}/2 lb) d'abricots séchés
- 2 bâtons de cannelle, cassés en deux
- 6 clous de girofle, entiers
- 4 bananes mûres et fermes

pour *4 personnes*
préparation *10 minutes*
cuisson *25 minutes*

■ méthode

1 Mettre les jus de fruits, le brandy et le miel dans une casserole et remuer. Ajouter les abricots, les bâtons de cannelle et les clous de girofle, et porter à ébullition. Baisser le feu, couvrir, et laisser mijoter pendant 20 minutes, en remuant de temps à autre. Retirer la casserole du feu et jeter les épices.

2 Peler et trancher les bananes en diagonale. Ajouter à la casserole et remuer.

3 Servir la compote immédiatement, ou laisser refroidir et réfrigérer avant de servir.

4 Servir avec du yogourt, de la crème fraîche, de la crème sûre (aigre) légère ou du yogourt glacé.

variantes

- *Remplacer le jus de pomme par du jus d'ananas ou de raisin non sucré*
- *Remplacer les abricots par des pêches, des poires ou de l'ananas, séchés.*
- *Remplacer le brandy par du xérès ou du rhum.*

desserts

les cheveux *à* l'honneur

Améliorez l'apparence de votre chevelure avec ce menu dont les recettes sont composées de nutriments essentiels pour les cheveux. Le stress et la pollution font des ravages sur nos cheveux. Nous devons donc nous alimenter de façon équilibrée pour conserver des cheveux brillants et somptueux.

soupe épicée *aux* carottes *et à* l'orge

Les carottes fournissent du bêta-carotène, qui se transforme en vitamine A, un nutriment important pour une chevelure saine.

▌ ingrédients

- 15 ml (1 c. à soupe) d'huile d'olive
- 1 oignon, haché finement
- 450 g (1 lb) de carottes, hachées finement
- 2 branches de céleri, hachées finement
- 55 g (2 oz) d'orge perlé
- 2 c. à café (à thé) de cumin moulu
- 2 c. à café (à thé) de coriandre moulu
- 1 c. à café (à thé) de poudre de piment rouge (facultatif)
- 850 ml (3 ¹/₃ tasses) de bouillon de légumes (voir recette à la page 20)
- Sel de mer
- Poivre noir, fraîchement moulu
- Persil plat frais, pour garnir

pour *4 personnes*
préparation *10 minutes*
cuisson *1 ¹/₄ heure*

▌ méthode

1 Faire chauffer l'huile dans une grande casserole. Y faire cuire l'oignon 5 minutes, en remuant de temps à autre.

2 Ajouter les carottes, le céleri, l'orge perlé et les épices moulues. Faire cuire 1 minute, en remuant continuellement. Incorporer le bouillon.

3 Couvrir et porter à ébullition; baisser le feu et laisser mijoter pendant environ 1 ¹/₄ heure, en remuant de temps à autre, jusqu'à ce que l'orge perlé soit cuit et tendre. Saler et poivrer au goût.

4 Verser dans des bols à soupe chauffés et garnir de persil plat frais haché.

5 Servir la soupe accompagnée de pain de blé entier (complet).

risotto *au* poulet *et aux* champignons sauvages

Le riz brun, en plus de contenir des fibres alimentaires, est une excellente source de magnésium, de potassium, de vitamines B et de sélénium.

▌ ingrédients

- 15 ml (1 c. à soupe) d'huile d'olive
- 225 g ($^1/_2$ lb) de poitrine de poulet, désossée, sans peau, en cubes de 2,5 cm (1 po)
- 1 oignon, haché
- 1 grosse gousse d'ail, écrasée
- 3 branches de céleri, hachées
- 225 g ($^1/_2$ lb) de champignons sauvages mélangés (shiitakes, pleurotes, etc) tranchés
- 175 g (6 oz) de petits pois surgelés
- 200 g (7 oz) de maïs en grains, en conserve, égouttés
- 225 g ($^1/_2$ lb) de riz brun
- 425 ml (15 oz) de bouillon de poulet (voir recette à la page 20)
- 425 ml (15 oz) de vin blanc sec
- Sel de mer
- Poivre noir, fraîchement moulu
- 30 à 45 ml (2 à 3 c. à soupe) de fines herbes mélangées, hachées
- 25 g (1 oz) de parmesan, finement râpé

pour *4 à 6 personnes*
préparation *15 minutes*
cuisson *40 minutes*

▌ méthode

1 Faire chauffer l'huile dans une grande casserole. Faire revenir le poulet à feu doux pendant environ 5 minutes, jusqu'à ce qu'il soit scellé de tous côtés, en remuant souvent.

2 Incorporer le reste des ingrédients, sauf les herbes et le parmesan.

3 Porter à ébullition; baisser le feu et faire cuire à feu doux, à découvert, environ 35 minutes, jusqu'à ce que le riz soit tendre et le liquide presque entièrement absorbé, en remuant de temps à autre.

4 Incorporer les fines herbes et servir chaud, saupoudrer de parmesan râpé.

5 Servir accompagné d'une salade de tomates, de poivron et d'oignon.

compote *de* bananes *et* d'abricots

Les bananes, faciles à digérer, sont une bonne source de potassium et de magnésium.

▌ ingrédients

- 200 ml (7 oz) de jus de pomme, non sucré
- 200 ml (7 oz) de jus d'orange, non sucré
- 60 ml ($^1/_4$ de tasse) de brandy
- 30 ml (2 c. à soupe) de miel
- 225 g ($^1/_2$ lb) d'abricots séchés
- 2 bâtons de cannelle, cassés en deux
- 6 clous de girofle, entiers
- 4 bananes mûres et fermes

pour *4 personnes*
préparation *10 minutes*
cuisson *25 minutes*

▌ méthode

1 Mettre les jus, le brandy et le miel dans une casserole et remuer. Ajouter les abricots, la cannelle et les clous de girofle, et porter à ébullition. Baisser le feu, couvrir, et laisser mijoter 20 minutes, en remuant de temps à autre. Retirer la casserole du feu et jeter les épices.

2 Peler et trancher les bananes en diagonale. Ajouter à la casserole et remuer.

3 Servir la compote immédiatement, ou laisser refroidir et réfrigérer avant de servir.

4 Servir avec du yogourt, de la crème fraîche, de la crème sûre (aigre) légère ou du yogourt glacé.

les aliments *pour les* yeux

es aliments riches en vitamine A et en bêta-carotène, comme les foies de poulet, les poissons gras, les carottes, les épinards et les abricots, sont essentiels pour les yeux. Un manque de vitamine B2 peut entraîner une inflammation des paupières et une sensibilité à la lumière. La vitamine B2 se trouve dans des aliments tels le lait, le yogourt, les légumes-feuilles verts, les œufs, la viande, la volaille et le poisson. Les acides gras essentiels oméga-3 contenus dans les poissons gras et les noix de Grenoble sont bénéfiques.*

salade mélangée *de* feuilles *et* d'herbes *avec* féta grillé

 Les épinards sont riches en bêta-carotène, un élément important pour la vision.

■ ingrédients

- 115 g (¼ de lb) de feuilles de laitues foncées comme des mini-épinards, du cresson et de la laitue rouge
- 55 g (2 oz) de cresson
- 15 g (½ oz) de fines herbes déchiquetées ou hachées grossièrement comme du persil, du basilic, de l'estragon, de la menthe et de la ciboulette
- 225 g (½ lb) de tomates cerises, coupées en deux
- 15 ml (1 c. à soupe) d'huile d'olive
- 15 ml (1 c. à soupe) de jus de citron
- 250 g (9 oz) de féta ou de fromage haloumi, en tranches

pour la vinaigrette

- 45 ml (3 c. à soupe) d'huile d'olive
- 2 c. à café (à thé) de vinaigre de vin blanc

- 1 c. à café (à thé) de miel
- 1 c. à café (à thé) de moutarde de Dijon
- Sel de mer
- Poivre noir, fraîchement moulu

pour *4 personnes*
préparation *15 minutes*
cuisson *6 à 8 minutes*

■ méthode

1 Mettre les feuilles de laitues, le cresson, les herbes et les tomates dans un bol; bien mélanger.
2 Fouetter ensemble l'huile de noix de Grenoble, le vinaigre, le miel, la moutarde et l'assaisonnement dans un bol. Verser en filet sur la salade et bien mélanger. Répartir la salade dans quatre assiettes de service.
3 Préchauffer le gril du four à feu vif. Couvrir une grille de papier

aluminium. Mélanger l'huile d'olive et le jus de citron et en badigeonner le féta ou le fromage haloumi.
4 Faire griller le fromage sur la grille de 3 à 4 minutes de chaque côté, jusqu'à ce qu'il soit légèrement doré.
5 Couronner chaque salade du fromage grillé et servir immédiatement, accompagnée de tranches épaisses de pain de blé entier (complet).

variantes

- *Remplacer le cresson par de la roquette.*
- *Remplacer l'huile de noix de Grenoble par de l'huile d'olive ou de noisette.*
- *Remplacer les tomates par des petits champignons blancs, coupés en deux.*

frittata *aux* champignons *et aux* asperges

 Les asperges contiennent des caroténoïdes qui sont importants pour la vision.

ingrédients

- 115 g (¼ de lb) de pointes d'asperges
- 15 g (1 c. à soupe) de beurre
- 1 poireau, rincé et tranché
- 115 g (¼ de lb) de champignons blancs, tranchés
- 4 œufs moyens, battus
- 55 g (2 oz) de cheddar râpé
- Sel de mer
- Poivre noir, fraîchement moulu
- 2 tomates, pelées, épépinées et hachées
- Brins de fines herbes, pour garnir

pour *2 personnes*
préparation *10 minutes*
cuisson *15 minutes*

méthode

1 Faire cuire les asperges dans une casserole d'eau bouillante environ 2 minutes, jusqu'à ce qu'elles soient tendres. Bien égoutter et garder au chaud.

2 Faire fondre le beurre dans une poêle antiadhésive de taille moyenne et y faire revenir le poireau et les champignons à feux doux de 8 à 10 minutes, pour amollir, en remuant de temps à autre.

3 Préchauffer le gril du four à feu vif. Verser les œufs sur les légumes dans la poêle, parsemer de fromage et assaisonner, et remuer légèrement.

4 Faire cuire à feu moyen pendant quelques minutes, jusqu'à ce que les œufs soient cuits et que la frittata soit dorée.

5 Placer sous le gril quelques minutes pour faire dorer.

6 Couronner d'asperges et de tomates. Servir seule ou accompagnée de tranches de pain ou de rôties de blé entier (complet). Garnir de brins de fines herbes.

variantes

- *Ajouter 15 ml (1 c. à soupe) de fines herbes fraîches hachées ou 1 c. à café (à thé) de fines herbes mélangées séchées avec les œufs.*
- *Remplacer les asperges par des tranches de courgettes.*
- *Remplacer le poireau par 1 oignon.*
- *Remplacer le cheddar par 25 à 55 g (1 à 2 oz) de parmesan.*

maquereau *au* barbecue *avec* sauce *à la* moutarde

 Les poissons gras comme le maquereau contiennent des acides gras oméga-3 et de la vitamine A, qui aident à protéger les membranes des cellules.

■ ingrédients

- 2 pommes, pelées, parées et émincées
- 45 ml (3 c. à soupe) de persil frais, haché
- Sel de mer
- Poivre noir, fraîchement moulu
- 4 maquereaux de 280 à 350 g (10 à 12 oz) chacun, évidés et nettoyés
- Le jus de 2 citrons

pour la sauce

- 20 g (2 c. à soupe) de fécule de maïs
- 300 ml (10 oz) de lait
- 15 ml (1 c. à soupe) de moutarde à l'ancienne
- 15 g (1 c. à soupe) de beurre
- Brins de persil frais, pour garnir

pour *4 personnes*
préparation *15 minutes*
cuisson *20 à 30 minutes*

■ méthode

1 Allumer le barbecue et laisser le charbon devenir bien brûlant.

2 Graisser légèrement quatre feuilles d'aluminium assez grandes pour contenir un poisson entier.

3 Mélanger les pommes, 30 ml (2 c. à soupe) de persil haché et l'assaisonnement. Étaler à la cuiller le mélange à l'intérieur des poissons.

4 Déposer un poisson sur un papier d'aluminium et arroser d'un peu de jus de citron ; replier le papier d'aluminium sur le poisson et tourner les extrémités, donnant quatre papillotes.

5 Déposer les poissons au-dessus des charbons brûlants et faire cuire de 20 à 30 minutes, jusqu'à ce que la chair s'effeuille sous les dents d'une fourchette.

6 Entre-temps, préparer la sauce. Dans une casserole, mélanger la fécule de maïs avec un peu de lait. Incorporer le reste du lait et réchauffer en remuant continuellement, jusqu'à ce que la sauce se mette à bouillir et épaississe légèrement.

7 Incorporer la moutarde, le beurre, l'assaisonnement et le reste du persil haché. Faire bien chauffer, en remuant continuellement.

8 Déballer les poissons, les déposer dans des assiettes de service chaudes, et garnir de brins de persil frais. Napper chaque poisson de sauce.

9 Servir chauds, accompagnés d'une pomme de terre au four et de poivrons et d'aubergines grillés.

variantes

• *Ajouter 15 ml (1 c. à soupe) de moutarde à l'ancienne de plus à la sauce si vous préférez une saveur de moutarde plus prononcée.*

• *Remplacer le maquereau par de la truite.*

• *Remplacer les pommes par des poires.*

• *Remplacer la moutarde par 15 à 30 ml (1 à 2 c. à soupe) de câpres hachées finement.*

poissons *et* fruits de mer

calmars sautés *avec* sauce chili

Les calmars sont une source de protéines faible en gras qui contiennent de nombreux nutriments importants. Les piments sont une excellente source de vitamine C.

▊ ingrédients

- 400 g (14 oz) de tomates en conserve, hachées
- 2 échalotes, hachées finement
- 2 branches de céleri, hachées finement
- 1 piment rouge, frais, épépiné et haché finement
- 1 gousse d'ail, écrasée
- 150 ml (5 oz) de vin blanc sec
- 15 ml (1 c. à soupe) de concentré de tomate
- Sel de mer
- Poivre noir, fraîchement moulu
- 30 ml (2 c. à soupe) d'huile d'olive
- 900 g (2 lb) de calmars parés, coupés en rondelles

pour *4 à 6 personnes*
préparation *10 minutes*
cuisson *15 à 20 minutes*

▊ méthode

1 Mettre les tomates, les échalotes, le céleri, le piment, l'ail, le vin, le concentré de tomate et l'assaisonnement dans une petite casserole et remuer.

2 Porter le mélange à ébullition ; baisser le feu à température moyenne et faire cuire, à découvert, de 15 à 20 minutes, jusqu'à ce que la sauce soit cuite et épaissie, en remuant de temps à autre.

3 Entre-temps, faire chauffer l'huile d'olive dans un wok ou une grande poêle antiadhésive. Ajouter les calmars et faire revenir à feu vif pendant environ 5 minutes, jusqu'à ce qu'ils soient tendres.

4 Mélanger les calmars cuits à la sauce chili et servir bien chauds, accompagnés de pain de blé entier (complet) légèrement beurré et d'une salade mélangée de poivrons et de tomates.

variantes

- *Remplacer le vin blanc par du vin rouge ou du jus de pomme non sucré.*
- *Remplacer le piment rouge frais par 1 à 2 c. à café (à thé) de poudre de piment rouge.*
- *Remplacer les tomates en conserve par 450 g (1 lb) de tomates fraîches, pelées et hachées.*

poissons *et* fruits de mer

foies *de* poulet *à la* sauce madère

Les foies de poulet sont une excellente source naturelle de vitamines A et B12, d'acide folique et de fer. Comme leur teneur en gras et en cholestérol est aussi élevée, nous les réservons pour les occasions spéciales.

ingrédients

- 15 ml (1 c. à soupe) d'huile d'olive
- 6 échalotes, tranchées
- 450 g (1 lb) de foies de poulet, coupés en fines lanières
- 60 ml ($1/4$ de tasse) de bouillon de légumes (voir recette à la page 20)
- 60 ml ($1/4$ de tasse) de madère
- 1 c. à café (à thé) d'herbes de Provence, séchées
- 30 ml (2 c. à soupe) de crème fraîche ou de crème sûre (aigre) légère
- Sel de mer
- Poivre noir, fraîchement moulu
- Brins de fines herbes, pour garnir

pour *4 à 6 personnes*
préparation *10 minutes*
cuisson *12 minutes*

méthode

1 Faire chauffer l'huile dans une grande poêle antiadhésive. Ajouter les échalotes et faire cuire pendant 5 minutes, en remuant.

2 Ajouter les foies de poulet et faire cuire à feu moyen à vif pendant 5 minutes, en remuant souvent.

3 Ajouter le bouillon, le madère et les herbes séchées. Porter le mélange à ébullition et faire cuire 2 minutes, jusqu'à ce que les foies de poulet soient cuits et tendres, en remuant souvent.

4 Incorporer la crème fraîche ou la crème sûre légère et l'assaisonnement. Faire bien réchauffer à feu doux, en remuant.

5 Garnir de brins de fines herbes. Servir chaud, accompagné de riz brun et de riz sauvage et de légumes frais, cuits, comme des bouquets de brocoli et des haricots verts.

variantes

- *Remplacer les échalotes par 1 oignon.*
- *Remplacer le madère par du vin rouge.*

viandes *et* volailles

casserole *de* nouilles *au* poulet *et au* brocoli

 Le brocoli est un aliment riche en bêta-carotène (la forme végétale de la vitamine A), ce qui en fait un excellent plat pour les yeux. Le poulet est une bonne source de vitamine B2.

ingrédients

- 225 g (½ lb) de pâtes au choix
- 225 g (½ lb) de petits bouquets de brocoli
- 2 courgettes, tranchées
- 1 poireau, rincé et tranché
- 55 g (¼ de tasse) de beurre
- 55 g (½ tasse) de farine de blé entier (complète)
- 600 ml (2 ½ tasses) de bouillon de poulet (voir recette à la page 20), refroidi
- 300 ml (10 oz) de lait
- 115 g (¼ de lb) de cheddar râpé
- 225 g (½ lb) de poulet cuit, sans peau, désossé et coupé en dés
- 30 ml (2 c. à soupe) de ciboulette fraîche, hachée
- 15 ml (1 c. à soupe) de persil frais, haché
- Sel de mer
- Poivre noir, fraîchement moulu
- 30 ml (2 c. à soupe) de parmesan, râpé finement
- Brins de persil, pour garnir

pour *4 à 6 personnes*
préparation *20 minutes*
cuisson *25 à 30 minutes*

méthode

1 Préchauffer le four à 200 °C (400 °F).

2 Faire cuire les pâtes dans l'eau bouillante, légèrement salée, pendant 8 minutes, jusqu'à ce qu'elles soient tout juste tendres. Égoutter et garder au chaud.

3 Entre-temps, faire cuire à la vapeur le brocoli, les courgettes, le poireau au-dessus d'une casserole d'eau bouillante pendant environ 10 minutes, jusqu'à ce qu'ils soient tendres. Bien égoutter et garder au chaud.

4 Mettre le beurre, la farine, le bouillon et le lait dans une casserole et faire chauffer à feu doux, en fouettant continuellement, jusqu'à ce que la sauce se mette à bouillonner et à épaissir. Laisser mijoter doucement pendant 2 minutes, en remuant.

5 Retirer la casserole du feu et incorporer le cheddar, le poulet, les herbes hachées et l'assaisonnement. Ajouter les pâtes et les légumes ; bien mélanger.

6 Mettre à la cuiller le mélange dans un plat allant au four et saupoudrer de parmesan râpé. Faire cuire au four, à découvert, de 25 à 30 minutes, jusqu'à ce que le dessus soit doré.

7 Garnir de brins de persil et servir accompagné de tomates et de poivrons grillés.

variantes

- *Remplacer le poulet par du dindon cuit, ou du saumon ou du thon cuits et effeuillés.*
- *Remplacer le brocoli par des bouquets de chou-fleur ou des champignons tranchés.*
- *Remplacer le poireau par 1 oignon.*

mode de congélation

Laisser refroidir complètement avant de mettre dans un contenant rigide pouvant aller au congélateur. Couvrir, sceller et étiqueter. Se conserve jusqu'à 3 mois. Laisser décongeler pendant plusieurs heures, ou pendant la nuit, au réfrigérateur. Faire réchauffer au four.

patates douces grillées *aux* graines *de* sésame

 Les graines de sésame sont riches en acides gras essentiels et ajoutent un peu de zinc, de potassium, de magnésium et de fer à l'alimentation.

ingrédients

- 700 g (1 ^{1}/$_2$ lb) de patates douces à chair rouge
- 15 ml (1 c. à soupe) d'huile d'olive
- 15 ml (1 c. à soupe) de beurre
- 30 ml (2 c. à soupe) de graines de sésame, grillées
- 30 ml (2 c. à soupe) de ciboulette fraîche, hachée
- Sel de mer
- Poivre noir, fraîchement moulu

pour *4 personnes*
préparation *10 minutes*
cuisson *11 à 16 minutes*

méthode

1 Peler les patates douces et les couper en quartiers. Les faire cuire à demi dans l'eau bouillante, pendant 5 minutes. Bien égoutter.

2 Faire fondre le beurre avec l'huile dans une poêle antiadhésive. Y faire revenir les patates douces à feu moyen de 10 à 15 minutes, en les tournant de temps à autre, jusqu'à ce qu'elles soient cuites, légèrement dorées et croustillantes.

3 Ajouter les graines de sésame et faire cuire 1 à 2 minutes; incorporer la ciboulette et l'assaisonnement.

4 Servir chaud comme accompagnement à une viande maigre ou du poisson, avec des légumes cuits comme des épinards et des poireaux.

variantes

- *Remplacer les patates douces par des pommes de terre, des panais ou des rutabagas.*
- *Remplacer l'huile d'olive par de l'huile de sésame.*
- *Remplacer les graines de sésame par des graines de tournesol ou de citrouille.*
- *Remplacer la ciboulette par des fines herbes fraîches hachées.*

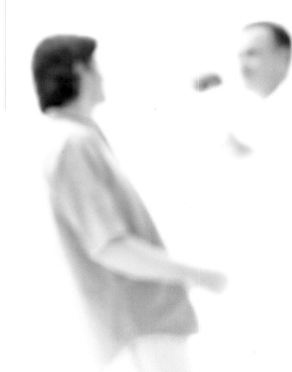

légumes

goulasch campagnarde *aux* haricots

 Les haricots et les légumineuses sont riches en vitamine B2, un nutriment pouvant aider à prévenir les cataractes. La vitamine C des tomates et des poivrons comporte aussi des propriétés de prévention des cataractes.

ingrédients

- 700 g (1 1/2 lb) de tomates pelées, épépinées et hachées
- 1 oignon, haché
- 1 grosse gousse d'ail, finement hachée
- 1 poivron rouge, épépiné et coupé en dés
- 3 carottes, tranchées
- 3 branches de céleri, hachées
- 175 g (6 oz) de petits champignons blancs
- 175 g (6 oz) de fèves surgelées
- 400 g (14 oz) de haricots rouges, en conserve, rincés et égouttés
- 400 g (14 oz) de doliques à œil noir, en conserve, rincés et égouttés
- 300 ml (1 1/4 tasse) de cidre semi-doux
- 30 ml (2 c. à soupe) de paprika
- 2 c. à café (à thé) d'herbes de Provence séchées
- Sel de mer
- Poivre noir, fraîchement moulu
- 10 g (1 c. à soupe) de fécule de maïs
- Brins de fines herbes, pour garnir

pour *4 à 6 personnes*
préparation *15 minutes*
cuisson *1 1/2 heure*

méthode

1 Préchauffer le four à 180 °C (350 °F).

2 Mettre tous les ingrédients, sauf la fécule de maïs et les herbes pour garnir, dans une grande casserole à l'épreuve du feu et allant au four; remuer.

3 Faire cuire dans un four préchauffé pendant environ 1 1/2 heure, jusqu'à ce que les légumes soient cuits et tendres, en remuant de temps à autre. Retirer du four.

4 Mélanger la fécule de maïs avec 60 ml (4 c. à soupe) d'eau. Incorporer au mélange de légumes et réchauffer à feu doux, en remuant continuellement, jusqu'à ce que le mélange se mette à bouillir et à épaissir. Faire mijoter à feu doux pendant 2 minutes, en remuant.

5 Servir la goulasch avec du riz brun, des nouilles ou du couscous. Garnir de fines herbes.

variantes

- *Remplacer le cidre par du jus de pomme non sucré.*
- *Remplacer les fèves par des pois.*
- *Remplacer les tomates fraîches par 400 g (14 oz) de tomates en conserve, hachées.*

mode de congélation

Laisser refroidir complètement avant de mettre dans un contenant rigide pouvant aller au congélateur. Couvrir, sceller et étiqueter. Se conserve jusqu'à 3 mois. Laisser décongeler et réchauffer à feu doux dans une casserole ou dans un four réglé à température moyenne.

légumes

granité *au* yogourt *aux* abricots

 Le yogourt est riche en vitamines B1 et B2 et fournit des protéines faciles à digérer, ainsi que du magnésium, du potassium, du zinc et de la vitamine A.

■ ingrédients

- 400 g (14 oz) d'abricots en conserve, dans leur jus
- 300 g (11 oz) de yogourt nature
- 150 ml (5 oz) de crème légère
- 30 ml (2 c. à soupe) miel
- Brins de menthe fraîche, pour garnir

pour *6 personnes*
préparation *10 minutes, et le temps de congélation*

■ méthode

1 Réduire en purée les abricots et leur jus au robot culinaire jusqu'à consistance lisse.

2 Ajouter le yogourt, la crème et le miel ; bien mélanger. Verser dans un contenant en plastique, peu profond et refroidi. Couvrir et congeler pendant 1 à 1 1/2 heure ou jusqu'à ce que le mélange ait épaissi.

3 Mettre à la cuiller dans un bol et piler à l'aide d'une fourchette jusqu'à consistance lisse. Remettre dans le contenant, couvrir, et congeler jusqu'à ce que la crème soit prise.

4 Mettre le contenant au réfrigérateur 30 minutes avant de servir pour permettre au granité d'amollir un peu. Servir en boules et garnir de brins de menthe fraîche.

5 Servir accompagné de petits fruits frais tels fraises, framboises, bleuets (myrtilles) et mûres.

variantes

• *Remplacer les abricots par des pêches ou des ananas en conserve.*
• *Remplacer la crème légère par de la crème fraîche.*
• *Remplacer le miel par du sirop d'érable.*

croustade *aux* bleuets (myrtilles) *et aux* pommes

Les bleuets (myrtilles), compte tenu de leur teneur en vitamine C et autres antioxydants, sont un excellent aliment pour les yeux.

■ ingrédients

- 115 g (1 tasse) de farine de blé entier (complète)
- 85 g (3 oz) de farine d'avoine
- 85 g (1/3 de tasse) de beurre, haché
- 85 g (1/3 de tasse) de cassonade pâle
- 55 g (2 oz) d'un mélange d'amandes et de noix du Brésil
- 1 c. à café (à thé) de cannelle moulue
- 350 g (3/4 de lb) de bleuets (myrtilles)
- 5 pommes, pelées, parées et émincées
- 45 ml (3 c. à soupe) de jus de pomme non sucré
- 45 ml (3 c. à soupe) de miel

pour *4 à 6 personnes*
préparation *20 minutes*
cuisson *45 minutes*

■ méthode

1 Préchauffer le four à 180 °C (350 °F).

2 Mélanger les farines dans un bol, et y couper le beurre jusqu'à l'obtention d'une consistance semblable à de la chapelure. Incorporer la cassonade, les amandes, les noix et la cannelle.

3 Mettre les bleuets et les pommes dans un plat allant au four. Mélanger le jus de pomme et le miel et verser sur les fruits. Remuer.

4 Étendre le mélange de garniture également sur les fruits.

5 Faire cuire dans le four préchauffé pendant environ 45 minutes, ou jusqu'à ce que les fruits soient cuits et que la garniture soit dorée.

6 Servir chaude ou froide, accompagnée d'une sauce anglaise ou de yogourt nature.

variantes

• *Remplacer les bleuets (myrtilles) par un mélange de petits fruits comme des framboises et des mûres.*
• *Remplacer la farine d'avoine par des flocons d'avoine.*
• *Remplacer le jus de pomme par du brandy ou du xérès.*

un régal *pour les* yeux

Il faut le voir pour le croire. Délectez-vous devant ce choix de recettes tirées de la section sur la vision. Elles procurent de la vitamine A (par le biais du bêta-carotène) et de la B2, des éléments essentiels pour la santé de vos yeux, qui peuvent prévenir les cataractes et la conjonctivite.

salade mélangée *de* feuilles *et* d'herbes *avec* féta grillé

Les épinards sont riches en bêta-carotène, un élément important pour la vision.

■ ingrédients

- 115 g (1/4 de lb) de feuilles de laitues foncées comme des mini-épinards, du cresson et de la laitue rouge
- 55 g (2 oz) de cresson
- 15 g (1/2 oz) de fines herbes déchiquetées ou hachées grossièrement comme du persil, du basilic, de l'estragon, de la menthe et de la ciboulette
- 225 g (1/2 lb) de tomates cerises, coupées en deux
- 15 ml (1 c. à soupe) d'huile d'olive
- 15 ml (1 c. à soupe) de jus de citron
- 250 g (9 oz) de féta ou de fromage haloumi, en tranches minces

pour la vinaigrette

- 45 ml (3 c. à soupe) d'huile d'olive
- 2 c. à café (à thé) de vinaigre de vin blanc
- 1 c. à café (à thé) de miel
- 1 c. à café (à thé) de moutarde de Dijon
- Sel de mer
- Poivre noir, fraîchement moulu

pour *4 personnes*
préparation *15 minutes*
cuisson *6 à 8 minutes*

■ méthode

1 Mettre les feuilles de laitues, le cresson, les herbes et les tomates dans un bol ; bien mélanger.

2 Fouetter ensemble l'huile de noix de Grenoble, le vinaigre, le miel, la moutarde et l'assaisonnement dans un bol. Verser en filet sur la salade et bien mélanger. Répartir la salade dans quatre assiettes de service.

3 Préchauffer le gril du four à feu vif. Couvrir une grille de papier aluminium. Mélanger l'huile d'olive et le jus de citron et en badigeonner le féta ou le fromage haloumi.

4 Faire griller le fromage sur la grille de 3 à 4 minutes de chaque côté, jusqu'à ce qu'il soit légèrement doré.

5 Couronner chaque salade du fromage grillé et servir immédiatement, accompagnée de tranches épaisses de pain de blé entier (complet).

goulasch campagnarde *aux* haricots

Les haricots et les légumineuses sont riches en vitamine B2, un nutriment pouvant aider à prévenir les cataractes. La vitamine C des tomates et des poivrons comporte aussi des propriétés de prévention des cataractes.

ingrédients

- 700 g (1 ¹/₂ lb) de tomates pelées, épépinées et hachées
- 1 oignon, haché
- 1 grosse gousse d'ail, finement hachée
- 1 poivron rouge, épépiné et coupé en dés
- 3 carottes, tranchées
- 3 branches de céleri, hachées
- 175 g (6 oz) de petits champignons blancs
- 175 g (6 oz) de fèves surgelées
- 400 g (14 oz) de haricots rouges, en conserve, rincés et égouttés
- 400 g (14 oz) de doliques à œil noir, en conserve, rincés et égouttés
- 300 ml (1 ¹/₄ tasse) de cidre semi-doux
- 30 ml (2 c. à soupe) de paprika
- 2 c. à café (à thé) d'herbes de Provence séchées
- Sel de mer
- Poivre noir, fraîchement moulu
- 10 g (1 c. à soupe) de fécule de maïs
- Brins de fines herbes, pour garnir

pour *4 à 6 personnes*
préparation *15 minutes*
cuisson *1 ¹/₂ heure*

méthode

1 Préchauffer le four à 180 °C (350 °F).

2 Mettre tous les ingrédients, sauf la fécule de maïs et les herbes pour garnir, dans une grande casserole à l'épreuve du feu et allant au four; remuer.

3 Faire cuire dans un four préchauffé pendant environ 1 ¹/₂ heure, jusqu'à ce que les légumes soient cuits et tendres, en remuant de temps à autre. Retirer du four.

4 Mélanger la fécule de maïs avec 60 ml (4 c. à soupe) d'eau. Incorporer au mélange de légumes et réchauffer à feu doux, en remuant continuellement, jusqu'à ce que le mélange se mette à bouillir et à épaissir. Faire mijoter à feu doux pendant 2 minutes, en remuant.

5 Servir la goulasch avec du riz brun, des nouilles ou du couscous. Garnir de fines herbes.

croustade *aux* bleuets (myrtilles) *et aux* pommes

Les bleuets (myrtilles), compte tenu de leur teneur en vitamine C et autres antioxydants, sont un excellent aliment pour les yeux.

ingrédients

- 115 g (1 tasse) de farine de blé entier (complète)
- 85 g (3 oz) de farine d'avoine
- 85 g (¹/₃ de tasse) de beurre, haché
- 85 g (¹/₃ de tasse) de cassonade pâle
- 55 g (2 oz) d'un mélange d'amandes et de noix du Brésil
- 1 c. à café (à thé) de cannelle moulue
- 350 g (³/₄ de lb) de bleuets (myrtilles)
- 5 pommes, pelées, parées et émincées
- 45 ml (3 c. à soupe) de jus de pomme non sucré
- 45 ml (3 c. à soupe) de miel

pour *4 à 6 personnes*
préparation *20 minutes*
cuisson *45 minutes*

méthode

1 Préchauffer le four à 180 °C (350 °F).

2 Mélanger les farines dans un bol, et y couper le beurre jusqu'à l'obtention d'une consistance semblable à de la chapelure. Incorporer la cassonade, les amandes, les noix et la cannelle.

3 Mettre les bleuets et les pommes dans un plat allant au four. Mélanger le jus de pomme et le miel et verser sur les fruits. Remuer.

4 Étendre le mélange de garniture également sur les fruits.

5 Faire cuire dans le four préchauffé pendant environ 45 minutes, ou jusqu'à ce que les fruits soient cuits et que la garniture soit dorée et croustillante.

6 Servir chaude ou froide, accompagnée d'une sauce anglaise ou de yogourt nature.

quel aliment *pour quelle* carence physique ?

les problèmes du système immunitaire

• Les aliments riches en vitamine E tels les huiles, les légumes-feuilles verts, les grains entiers, les noix et les graines aident à protéger le système immunitaire.

• Lorsque vous sentez que vous allez avoir un rhume, préparez une boisson chaude à partir de jus de citron, d'un petit morceau de gingembre et d'une cuillerée à café (à thé) de miel. Le jus de citron est riche en vitamine C, le gingembre est réconfortant et le miel calme les maux de gorge.

• L'ail et les oignons peuvent contribuer à apaiser la congestion nasale.

les problèmes des os et des dents

• Aidez à freiner les caries dentaires en terminant un repas avec des aliments qui ne nuisent pas à vos dents. On estime que le fromage protège l'émail dentaire en diminuant l'acidité buccale.

• Les gencives qui saignent peuvent être une indication d'une carence en vitamine C. Veillez à inclure dans votre alimentation de grandes quantités de fruits et de légumes.

• La meilleure façon de prévenir ou de minimiser l'ostéoporose est de consommer beaucoup d'aliments riches en calcium et en magnésium, et de faire des exercices de musculation.

les problèmes d'articulation

• Les gens qui souffrent d'arthrose auraient avantage à améliorer leur alimentation en consommant plus de céréales de grains entiers, et des fruits et légumes frais pour augmenter leur consommation d'antioxydants.

• Les huiles de poisson peuvent contribuer à aider les gens qui souffrent d'arthrite rhumatismale. Le saumon, la truite, le maquereau et le thon contiennent des acides gras oméga-3 qui peuvent avoir un effet anti-inflammatoire sur les articulations de certaines personnes souffrant d'arthrite.

• Les articulations douloureuses peuvent parfois résulter d'une intolérance à certains aliments.

les problèmes de cœur et de circulation sanguine

• Une alimentation composée de grains entiers, de fruits et de légumes aide à réduire les taux de cholestérol.

• Les gras provenant de poissons gras tels le saumon, la truite, le maquereau et le thon peuvent contribuer à prévenir la formation de caillots sanguins dans les artères.

• L'ail et les oignons peuvent aider à baisser la pression sanguine et les taux de cholestérol.

• Si vous souffrez d'hypertension, limitez votre consommation de sel.

quel aliment *pour quel* souci esthétique ?

les problèmes de peau

• Si vous avez une démangeaison cutanée ou de l'urticaire, ou si vous souffrez d'eczéma, vous êtes peut-être allergique à certains aliments. Au nombre des allergènes possibles, notons les produits laitiers, les noix, les agrumes, les tomates, le poisson et les mollusques et crustacés, les œufs et le blé. La seule façon de déterminer s'il y a allergie ou pas est de faire un régime d'élimination.

• Dans le cas d'une peau qui se desquame, ajoutez de bonnes quantités d'acides gras à votre alimentation.

• Si votre peau est sensible, ou que vous avez des fissures ou des plaies autour de la bouche, consommez des aliments riches en vitamines B.

• Masser la peau avec du jus de citron et de l'huile d'olive extravierge est un bon truc pour améliorer l'état de la peau et minimiser l'apparence des rides.

• Les personnes qui souffrent de psoriasis ont avantage à inclure des poissons gras dans leur alimentation pour leur teneur élevée en acides gras oméga-3.

les problèmes d'ongles

• Si vos ongles sont cassants ou s'écaillent, consommez de bonnes quantités d'acides gras essentiels.

• Des ongles pâles et cassants et des démangeaisons cutanées sont parfois une indication d'une carence en fer. Parmi les bonnes sources de fer, notons la viande, les volailles de viande brune, les pains et les céréales enrichis, ainsi que les légumes-feuilles verts.

• Les ongles cassants, les infections à la peau près des ongles, ou les taches blanches sur les ongles sont peut-être un signe d'une carence en zinc. Les aliments qui contiennent beaucoup de zinc sont les fruits de mer, les œufs, le foie, les noix, les lentilles et les pois chiches.

les problèmes de cheveux

• Un cuir chevelu sec et des pellicules peuvent indiquer une carence en zinc. Pour y remédier, consommez de bonnes quantités de fruits de mer, d'œufs, de foie, de noix, de lentilles et de pois chiches. Les acides gras essentiels contenus dans les poissons gras et les noix aident aussi à enrayer la sécheresse du cuir chevelu et des cheveux secs.

• Une chevelure terne indique peut-être une carence en vitamine A. Les bonnes sources de bêta-carotène (la forme végétale de vitamine A) sont les carottes, les légumes-feuilles vert foncé et les abricots séchés.

les problèmes aux yeux

• Le risque de cataractes et de conditions liées au vieillissement comme la dégénérescence maculaire peuvent être réduits en consommant de grandes quantités de légumes-feuilles vert.

• Si vous souffrez d'une conjonctivite ou que vos yeux sont injectés de sang, assurez-vous de consommer suffisamment de vitamine B2 que l'on trouve dans la viande, les œufs, le lait, le fromage, le yogourt, les légumineuses et les légumes-feuilles verts.

• Une mauvaise vision nocturne peut indiquer une carence en vitamine A. Assurez-vous que votre alimentation comporte suffisamment de carottes, de légumes-feuilles vert foncé et d'abricots séchés.

vitamines *et* minéraux

Tous les aliments contiennent différentes quantités de nutriments et aucun aliment ne comporte à lui seul tous les nutriments nécessaires à une bonne santé. Les vitamines et les minéraux travaillent en synergie avec les protéines, les glucides et les gras. Consommez donc autant d'aliments différents que possible. Les listes qui suivent se veulent un guide de l'apport quotidien recommandé pour chacun.

Les vitamines liposolubles

vitamine A
provient du rétinol des aliments d'origine animale et du bêta-carotène dans les aliments végétaux
Essentielle à la croissance et au développement des cellules, à la vision, à la fonction immunitaire. Pour le maintien de la santé de la peau, des cheveux, des ongles, des os et des dents.

vitamine D
calciférols
Nécessaire à l'absorption du calcium; aide à la croissance d'os et de dents solides et à leur maintien.

vitamine E
tocophérols
Protège les acides gras; sert au maintien des muscles et des globules rouges; un antioxydant important.

vitamine K
phylloquinone, ménaquinone
Essentielle à la coagulation du sang.

Les vitamines hydrosolubles

acide folique
folate, folacine
Nécessaire à la division cellulaire et à la formation de l'ADN, de l'ARN et des protéines. De plus grandes quantités sont nécessaires avant la conception et pendant la grossesse pour protéger contre les défauts du tube neural.

biotine
Nécessaire pour métaboliser l'énergie des aliments et pour la synthèse du gras et du cholestérol.

vitamine B1
Thiamine
Nécessaire pour tirer de l'énergie des glucides, des gras et de l'alcool; aide la fonction neurale.

vitamine B2
Riboflavine
Nécessaire pour métaboliser l'énergie des aliments et pour aider à la fonction de la vitamine B6 et de la niacine.

vitamine B3
Niacine, acide nicotinique, nicotinamide
Nécessaire à la production d'énergie. Aide au maintien d'une peau saine et d'un système digestif efficace.

vitamine B5
Acide pantothénique
Aide à tirer de l'énergie des aliments. Essentielle à la synthèse du cholestérol, des cellules graisseuses et des globules rouges.

vitamine B6
Pyridoxine, pyridoxamine, pyridoxal
Aide à tirer de l'énergie des protéines; importante pour la fonction immunitaire, le système nerveux et la formation de globules rouges.

vitamine B12
Cyanocobalamine
Nécessaire à la production des globules rouges, de l'ADN, de l'ARN et de la myéline (pour les fibres nerveuses).

vitamine C
Acide ascorbique
Un important antioxydant, essentiel à une fonction immunitaire saine et à la production de collagène (une protéine essentielle à la santé des gencives, des dents, des os, du cartilage et de la peau). Elle aide aussi à l'absorption d'aliments de source végétale.

Minéraux

calcium
Pour des os et des dents solides; essentiel aux muscles et à la fonction neurale, ainsi qu'à la coagulation du sang.

chlorure
Maintien une chimie corporelle adéquate. Sert à la production de sucs gastriques.

chrome
Aide à régulariser les taux de glycémie et de cholestérol et à réduire les envies de malbouffe.

cuivre
Nécessaire à la croissance osseuse et à la formation des tissus conjonctifs. Aide le corps à absorber le fer des aliments; est présent dans plusieurs enzymes qui protègent contre les radicaux libres.

fer
Nécessaire à la production de globules rouges et pour la production d'énergie au sein des globules.

iode
Nécessaire à la production d'hormones thyroïdiennes.

magnésium
Favorise la croissance des os, aide à la transmission des impulsions nerveuses et joue un rôle important dans la contraction musculaire.

manganèse
Composante vitale de divers enzymes impliqués dans la production d'énergie; aide à la formation des os et des tissus conjonctifs.

molybdène
Composante essentielle des enzymes impliqués dans la production de l'ADN et de l'ARN; peut contribuer à combattre la carie dentaire.

phosphore
Aide à maintenir des os et des dents solides. Or, en excès (provenant par exemple, d'une consommation excessive de boissons gazeuses), il inhibe la capacité du corps à utiliser le calcium et le magnésium.

potassium
Aide à régulariser l'équilibre et la distribution des liquides organiques pour maintenir des battements de cœur réguliers et une tension artérielle normale. Important pour la fonction musculaire et neurale.

sélénium
Un important antioxydant qui travaille en collaboration avec la vitamine E pour protéger les membranes cellulaires contre les dommages causés par l'oxydation.

sodium
Travaille avec le potassium à régulariser l'équilibre des liquides organiques; essentiel à une fonction neurale et musculaire normale.

soufre
Composante de deux acides aminés qui aident à la formation de plusieurs protéines du corps.

zinc
Essentiel pour une croissance normale, la reproduction et la fonction immunitaire.

vitamines

Rations diététiques recommandées/
Consommation de nutriments recommandée

(pour adultes de plus de 24 ans)

	HOMMES	FEMMES
Acide folique	200 mcg/220 mcg	180 mcg/185 mcg
Biotine	30-100 mcg*/30-100 mcg†	30-100 mcg*/30-100 mcg†
Vitamine A	1000 mcgR.E./850 mcgR.E.	800 mcgR.E./775 mcgR.E.
Vitamine B1	1,5 mg/1,1 mg	1,1 mg/0,8 mg
Vitamine B2	1,7 mg/1,5 mg	1,3 mg/1,1 mg
Vitamine B3	19 mg/19 mg	15 mg/14 mg
Vitamine B5	4-7 mg*/4-7 mg†	4-7 mg*/4-7 mg†
Vitamine B6	2 mg/1,5-2 mg†	1,6 mg/1-1,6 mg†
Vitamine B12	2 mcg/1-2 mcg	2 mcg/1-2 mcg
Vitamine C	60 mg/40 mg	60 mg/35 mg
Vitamine D	5 mcg/2,5 mcg	5 mcg/2,5 mcg
Vitamine E	10 mg/9 mg	8 mg/6 mg
Vitamine K	80 mcg/80 mcg	65 mcg/65 mcg

sels minéraux

Rations diététiques recommandées/
Consommation de nutriments recommandée

(pour adultes de plus de 24 ans)

	HOMMES	FEMMES
Calcium	800 mg/800 mg	800 mg/800 mcg (1000-1500 après la ménopause)
Chrome	0,05-0,2 mg*/0,05-0,2 mg†	0,05-0,2 mg*/0,05-0,2 mg†
Cuivre	1,5-3 mg*/2-3 mg†	1,5-3 mg*/2-3 mg†
Fer	10 mg/8 mg	15 mg/10-15 mg
Iode	150 mcg/155 mcg	150 mcg/140 mcg
Magnésium	350 mg/280 mg	280 mg/240 mg
Manganèse	2,5-5 mg*/2,5-5 mg†	2,5-5 mg*/2,5-5 mg†
Phosphore	800 mg/1000 mg	800 mg/900 mg
Potassium	2000-4000 mg*/2-6 g†	2000-4000 mg*/2-6 g†
Sélénium	70 mcg/80 mcg	55 mcg/65 mcg
Sodium	500-3000 mg*/1-3 g†	500-3000 mg*/1-3 g†
Zinc	15 mg/12 mg	12 mg/9 mg

* Les rations diététiques recommandées n'ont pas été établies; les valeurs indiquées ici sont basées sur l'opinion des experts.
† La consommation de nutriments recommandée n'a pas été établie; les valeurs indiquées ici sont basées sur l'opinion des experts.
Ces valeurs constituent une moyenne des données établies en Amérique du Nord et en Europe.

index

remerciements

J'aimerais remercier le Dr Udo Erasmus du Canada pour les données qu'il nous a fournies sur les gras essentiels et, au Royaume-Uni, Patrick Holford et l'Institute of Optimum Nutrition, ainsi Gareth Zeal, nutritionniste, pour leur appui. J'aimerais également remercier ma co-auteure, Kathryn Marsden, pour son amitié.

Hazel Courteney

De nombreuses personnes ont travaillé d'arrache-pied à la préparation du présent ouvrage. Je veux témoigner de mon respect et de mon admiration, en particulier, pour Hazel Courteney, et pour Anne Sheasby qui ont créé une grande réserve de succulentes recettes. Ce fut un plaisir de travailler avec des professionnels aussi conscientieux et soucieux.

Kathryn Marsden

J'aimerais remercier Robert de son appui indéfectible lors de la réalisation de cet ouvrage, et pour s'être prêté inlassablement aux tests de goût de toutes les recettes; Kathryn Marsden pour son aide et ses conseils; Anne Townley et Viv Croot pour m'avoir demandé de créer les recettes pour ce livre; et Molly Perham et Caroline Earle pour leur travail de rédaction soutenu.

Anne Sheasby